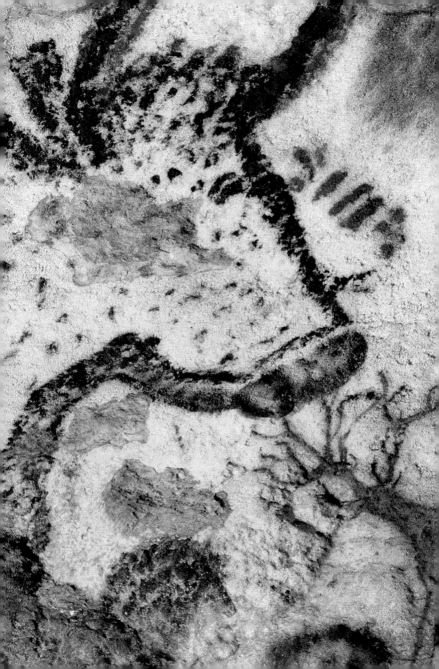

Denis Vialou, docteur ès lettres et sciences humaines, professeur au Muséum national d'histoire naturelle, consacre l'essentiel de ses recherches et de son enseignement à la préhistoire d'*Homo sapiens sapiens*. Ses travaux sur les objets et les grottes ornées paléolithiques de France et d'Espagne l'ont conduit à reconnaître dans les systèmes symboliques l'origine déterminante de la diversité culturelle des sociétés de chasseurs. Actuellement, il dirige les fouilles d'un campement de Solutréens en France et des fouilles d'abris rupestres dans le Matto Grosso (Brésil), associées à des programmes de prospections et de relevés systématiques des abris à peintures et gravures.

*© Gallimard 1996
Dépôt légal : septembre 1996
Numéro d'édition : 70689
ISBN : 2-07-053301-8
Imprimé en Italie par
Editoriale Libraria*

AU CŒUR DE LA PRÉHISTOIRE
CHASSEURS ET ARTISTES

Denis Vialou

DÉCOUVERTES GALLIMARD
HISTOIRE

« L' Homme est entré sans bruit », suggérait avec autorité Teilhard de Chardin pour signifier qu'entre l'Homme et les autres primates seule l'activité cérébrale offrit une nouveauté décisive, originaire de la divergence évolutive des uns et des autres. Elle inventa et produisit l'outil ou plutôt en rendit conscientes son utilisation systématique et son adaptabilité à des fonctions diverses. Par sa conquête du cerveau, « Homo sapiens sapiens » a révolutionné l'Homme et la société.

CHAPITRE PREMIER

« SAPIENS SAPIENS », LE MODERNE

Paroi rocheuse muée en masque grotesque par la magie de tracés noirs (grotte d'Altamira, à gauche) ou animal sculpté sur un bâton percé en bois de renne (grotte du Mas-d'Azil, ci-contre), l'art paléolithique témoigne de la modernité créative des grands chasseurs en Europe lors de la dernière glaciation.

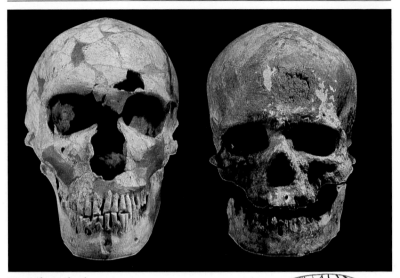

L'outil cérébral

Forgé au fil du temps par le déroulement des techniques, des modes de vie, le cerveau de l'homme est marqué par le développement de son anatomie, de ses fonctions et de sa physiologie, corollaire de l'augmentation de son volume. L'étude des réseaux méningés, dont l'empreinte reste visible sur les parois crâniennes fossiles retrouvées dans les sites préhistoriques, confirme les caractères évolutifs du crâne mis en évidence par la paléoanthropologie. Elle montre leur complexification croissante, c'est-à-dire une irrigation plus dense et plus complète, en relation avec un fonctionnement sans cesse accru du cerveau dans l'ensemble de ses aires motrices et associatives, dont l'aire frontale, la dernière développée.

Avec *Homo sapiens sapiens*, le déverrouillage des aires frontales du cerveau fut définitivement acquis voici à peine une quarantaine de milliers d'années. Il fut déterminant pour l'explosion, relativement soudaine et rapide, des activités symboliques, en particulier des manifestations que nous appelons artistiques. Avec l'acquisition de nouvelles aptitudes

Les crânes d'un Néandertalien (ci-dessus, à gauche) et celui d'un Cro-Magnon (ci-dessus, à droite) montrent l'évolution des deux représentants de l'espèce *Homo sapiens* en Europe. Cro-Magnon possède la face haute des *Sapiens sapiens* avec le front vertical, des orbites rectangulaires, un menton bien marqué; caractères modernes qui font défaut aux Hommes de Néandertal.

cérébrales, l'homme se trouvait du même coup en possession d'une multiplicité de moyens techniques et sociaux décuplant son emprise sur le cours du temps et des choses.

D'«Homo habilis» à «Homo sapiens» : 2 500 000 ans d'évolution technologique

La bonne conservation des outils en pierre, silex, quartzites et quartz depuis les outillages inventés

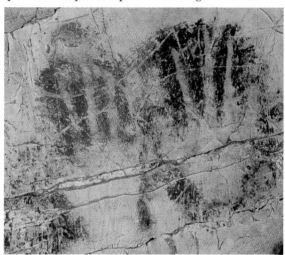

par *Homo habilis* il y a 2 500 000 ans, autorise les comparaisons entre les industries lithiques et leur classification en fonction de la chronologie. Pour les préhistoriens, les premiers outils de pierre repérables sont ceux dont les formes sont issues d'une série de gestes répétitifs. Tels est le cas des galets aménagés ou *choppers* et *chopping tools* : des galets offrant à un de leurs pôles un tranchant obtenu par des enlèvements organisés d'éclats.
A cette première période des industries de galets

Pour connaître la morphologie des hommes préhistoriques, on rencontre parfois de précieux et fragiles documents archéologiques, telles ces empreintes de mains peintes au pochoir (ci-contre, dans la grotte de Roucadour). Plus intéressantes sur le plan anatomique sont les empreintes de mains et de pieds, parfois de genoux et de coudes, conservées dans l'argile des grottes. Sur certaines mains d'enfants ayant joué à enfoncer leurs doigts dans les sols mous de grottes, on remarque des ongles rongés… Les moulages endocrâniens restituent quant à eux l'empreinte naturelle de la dure-mère sur la paroi interne de la boîte crânienne et permettent de connaître le système vasculaire méningé. L'anatomiste Roger Saban en a montré l'évolution, des Australopithèques jusqu'aux *Sapiens*. Elle se manifeste par une complexité croissante du réseau méningé. Le moulage endocrânien du Néandertalien de La Quina, daté d'une cinquantaine de milliers d'années, est déjà moderne par le nombre important d'anastomoses formant un quadrillage vasculaire assez serré, notamment pour l'hémisphère gauche (en bas, à gauche).

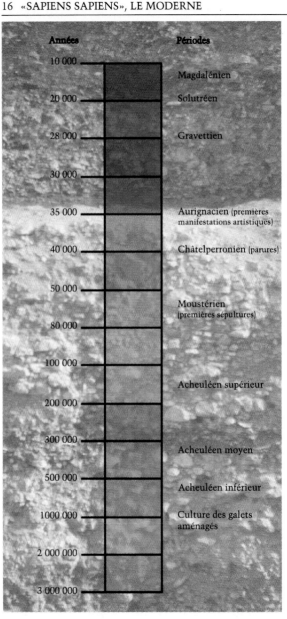

Années	Périodes
10 000	Magdalénien
20 000	Solutréen
28 000	Gravettien
30 000	
35 000	Aurignacien (premières manifestations artistiques)
40 000	Châtelperronien (parures)
50 000	
80 000	Moustérien (premières sépultures)
100 000	
200 000	Acheuléen supérieur
300 000	Acheuléen moyen
500 000	Acheuléen inférieur
1 000 000	Culture des galets aménagés
2 000 000	
3 000 000	

Le Paléolithique connu dans l'Ancien Monde commence il y a environ 2,5 millions d'années avec les premiers outils et s'achève il y a 10 000 ans. On le divise en trois périodes : le Paléolithique inférieur (de – 2,5 millions d'années à environ 200-150 000 ans), le Paléolithique moyen (de – 200 000 ans à – 35 000 ans) et le Paléolithique supérieur (de – 35 000 ans à – 10 000 ans). A chaque période se rapporte des cultures caractérisées par leurs industries. Elles tirent leurs noms des lieux de fouilles où elles furent définies pour la première fois : par exemple Moustérien du Moustier en Dordogne, ou Solutréen de Solutré en Saône-et-Loire. Le Paléolithique supérieur débute il y a 35 000 à 40 000 ans, avec *Homo sapiens sapiens*. Il comprend plusieurs cultures : l'Aurignacien (– 35 000 à – 25 000 ans), le Gravettien (– 27 000 à – 22 000 ans), le Solutréen (– 22 000 à – 18 000 ans), le Magdalénien (– 18 000 à – 10 000 ans). Ce découpage général ne reflète pas une réalité linéaire : les cultures se chevauchent assez souvent dans le temps et coexistent parfois dans la même aire géographique.

Les outils de pierre sont les témoins les mieux conservés des cultures matérielles préhistoriques, dites «industries». Certains outils sont caractéristiques d'époques de longue durée et sont largement répandus sur d'immenses territoires. Ainsi, les galets aménagés (ci-contre) caractérisent les premières industries du Paléolithique inférieur, puis les bifaces des industries acheuléennes (ci-dessous) pendant des centaines de milliers d'années en Afrique et en Eurasie.

aménagés qui s'est déroulée en Afrique, pendant environ un million et demi d'années, succèdent les cultures acheuléennes de *Homo erectus* en Afrique puis/et en Europe et en Asie. L'outil à tout faire, présent dans la plupart de leurs industries, est le biface : un bloc de pierre taillé sur ses deux faces pour obtenir un tranchant périphérique maximal, avec une extrémité appointée et l'autre laissée globuleuse pour une bonne préhension. Les hachereaux, outils offrant un tranchant effilé perpendiculaire à leur long axe, et les outils sur éclats comme les racloirs, les denticulés, sont parfois abondants dans certains assemblages acheuléens; ils témoignent de l'enrichissement progressif des industries lithiques du Paléolithique inférieur.

Entre les bifaces abbevilliens, grands et avec un tranchant sinueux et irréguliers, et les fins bifaces parfaitement symétriques de l'Acheuléen supérieur, 700 à 800 000 ans d'évolution technologique se sont écoulés; la méthode de débitage d'éclats et de pointes aux formes et dimensions désirées atteste aussi du haut degré de maîtrise du débitage de la pierre atteint par les Acheuléens évolués. Les *Homo erectus* sont aussi devenus progressivement les maîtres du feu, voici environ 400 000 ans en Chine, en Europe et sans doute ailleurs. Toutes ces innovations traduisent le

développement cérébral et social de l'homme dont les pierres et les sols d'habitat ont gardé les traces durables.

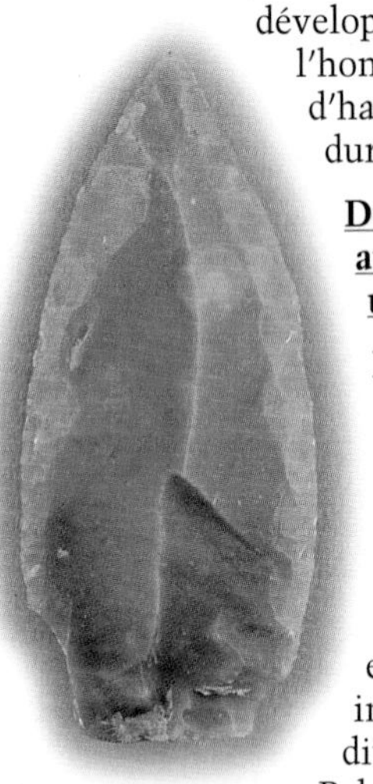

Du Paléolithique moyen au Paléolithique supérieur, un outillage qui s'affine

La panoplie des outils de *Homo sapiens* au cours du Paléolithique moyen dans l'Ancien Monde – en particulier la périphérie orientale de la Méditerranée – est nettement plus importante et diversifiée qu'au Paléolithique inférieur : quatre à cinq fois plus de types. Les outils et armes taillés, comme les bifaces, les hachereaux, s'affinent et offrent des tranchants plus longs et réguliers que précédemment. Les outils confectionnés sur éclats et parfois sur lames se multiplient selon des formes nouvelles ou élaborées, adaptées à de nouvelles fonctions utilitaires et à des pratiques de chasse et de dépeçage des gibiers. Un foisonnement d'industries, différenciées selon les régions et les cultures, dérive des inventions accumulées d'outils nouveaux.

La grande nappe moustérienne qui recouvre définitivement l'Acheuléen, entre – 200 000 ans et – 100 000 ans, en Europe, en Asie et en Afrique, loin d'être homogène, traduit une diversification technique et culturelle sur des territoires parfois relativement peu étendus. Grattoirs et burins, perçoirs sur lames deviennent alors abondants. L'obtention systématique

À côté des outils lithiques universels en quelque sorte, il existe des outils et des armes, parfois des techniques, exclusives de certaines cultures : les pointes moustériennes (en haut, à gauche) suffisent à qualifier de moustériens les assemblages dans lesquels elles se trouvent, de même que les pointes à cran (ci-contre) caractérisent le Solutréen supérieur. La retouche écailleuse scalariforme donnant leur forme définitive aux bords d'une pointe moustérienne résulte d'une série rapide (quelques dizaines de secondes) de gestes ordonnés et simples. Les retouches plates, parallèles, envahissantes, régulières ayant entièrement façonné la face supérieure d'une pointe à cran relèvent d'une haute technologie. L'emploi d'un retouchoir tendre (ramure, os ou bois), agissant par pression sur les bords en arêtes vives du support laminaire initial rend possible le façonnage de la pointe, requérant de nombreuses minutes.

de lames et lamelles, au lieu d'éclats sans forme particulière ou prédéterminée, est due à l'organisation rationnelle du débitage des blocs de matière première, soigneusement choisis puis préparés à cette fin par une série de gestes précis. Une bonne partie des industries créées par des *Homo sapiens sapiens* ont bénéficié de ce progrès technique considérable qui permettait d'obtenir avec une quantité égale de matière première un plus grand nombre de supports, allongés et de dimensions calculées selon les formes d'outils prévues et les utilisations envisagées.

Au Paléolithique supérieur, l'abattage régulier d'un bord de lame ou de lamelle par la réalisation de retouches abruptes continues, directes, inverses ou croisées en fait un dos qui, comme celui d'une lame de couteau, renforce la résistance du support, permet son appointage le plus fin possible. Les dos des lamelles ainsi retouchées se prêtent à la fixation sur des hampes en bois de renne rainurées, le bord tranchant émergeant seul du fût pour servir la pénétration coupante de l'arme dans la proie.ʹ Les pointes, souvent avec cran ou pédoncule pour faciliter leur emmanchement, apparaissent et deviennent les armatures de chasse idéales. Ainsi, les pointes à cran solutréennes étaient soigneusement taillées et retouchées pour posséder un équilibre pondéral parfait, des apex d'une extrême finesse, inférieure au millimètre, autant de paramètres morphologiques maîtrisés dont dépendait leur efficacité.

L e débitage organisé de gros nucléus pour l'obtention systématique de lames imposait aux Magdaléniens de Pincevent (Seine-et-Marne) une minutieuse préparation préalable des nucléus puis un enchaînement irréversible de gestes pour le détachement de chaque lame (ci-dessus).

«Homo sapiens sapiens», un architecte ingénieux

La reconstitution des huttes de chasseurs préhistoriques à partir de l'observation des vestiges et traces enregistrés en fouilles fait intervenir l'utilisation de pièces de bois dès les périodes les plus anciennes (près d'un million d'années pour le campement de Lavaud dans l'Indre, par exemple). Les pierres de calage, éventuellement les trous de poteaux qui, après la putréfaction des bois qu'ils maintenaient, se sont comblés de sédiments, facilement repérables en coupe, permettent de dessiner la forme de l'habitat au sol. Par simple évaluation des contraintes architecturales, on peut alors en dresser la charpente avec les matériaux utilisables à l'époque, bois, branches et, en guise de couverture, des rameaux, feuillages, ou peaux comme dans le campement de chasseurs magdaléniens de Pincevent (Seine-et-Marne) situé près d'un gué sur la Seine.

L'esprit inventif et ingénieux d'*Homo sapiens sapiens* est particulièrement manifeste dans l'utilisation

L'analyse approfondie des sols d'habitat, de la répartition des objets, des zones sans traces d'activités ni vestiges impose de procéder à des fouilles en décapage sur de grandes surfaces, comme à Pincevent. Lors de cette opération, tous les objets archéologiques dégagés, fussent de minuscules esquilles osseuses ou des débris lithiques, sont laissés en place jusqu'à la conclusion de l'analyse spatiale. L'observation détaillée de traces laissées par des matériaux putrescibles est également indispensable. De la qualité des fouilles dépend la qualité des reconstitutions. Il est alors possible de distinguer les huttes magdaléniennes du site de Pincevent (page de gauche) et celles de Gönnersdorf (à droite).

rationnelle des matériaux fournis par les animaux chassés. L'habileté à tailler le bois, à le débiter, à en faire des instruments divers a affiné le savoir-faire du travail de l'ivoire, des os et ramures. Ainsi, les ramures de cervidés, notamment de rennes et de cerfs fréquents selon les lieux et les climats, ont dû souvent servir à la rigidification des couvertures et parois de huttes, comme l'indiquent l'étude et

Les habitations de Pincevent, fouillées à partir des années 1960 par André Leroi-Gourhan puis par son équipe, correspondent à plusieurs occupations saisonnières proches d'un gué sur la Seine : les chasseurs venaient y traquer les rennes lors de leurs migrations. On voit ci-contre les restes osseux mélangés à un amas cendreux et jonchant le sol jusqu'au foyer au second plan.

l'interprétation d'habitats paléolithiques. Les ramures offrent des dimensions, une souplesse et une élasticité que n'ont pas les os. Moins dures, elles se travaillent plus facilement et les Paléolithiques ont su corriger leur courbure naturelle en redressant par chauffage les baguettes qu'ils en extrayaient de façon parfois sophistiquée mais très efficace. Les défenses de mammouths, avec leur longue courbure, leur stabilité et leur solidité se sont

Loin d'être fantaisiste, l'illustration ci-contre du site de Pincevent a exploité les résultats des analyses et des observations scientifiques. Ainsi, grâce à l'étude des pollens et à la sédimentologie, la végétation peut être reconstituée. A partir des restes d'animaux, on déduit l'alimentation, les modes vestimentaires, les pratiques architecturales. Pour illustrer les activités, le dessinateur s'est inspiré des vestiges technologiques et des données fournies par l'expérimentation, par exemple le débitage d'éclats de silex. Il peut même aller jusqu'à des comparaisons ethnographiques.

révélées de merveilleux éléments de charpente pour les bâtisseurs gravettiens et épigravettiens (entre – 25 000 et – 17 000 ans environ) des grandes steppes d'Europe orientale et d'Asie, balayées par les vents glaciaires. Calées dans des crânes de mammouths, à demi-enterrés dans le sol loessique, bloquées par une palissade d'os longs de l'animal, les défenses formaient un toit caréné élevé, probablement rendu hermétique par des peaux maintenues plaquées sur la charpente avec des pierres et des mandibules de mammouths. Ces habitations, admirablement

Les fouilles «à l'horizontale» sur de grandes étendues pratiquées en Europe orientale (Ukraine, Tchécoslovaquie, Russie) ont mis en évidence la complexité architecturale d'habitats paléolithiques, datés entre 30 000 et 20 000 ans pour la plupart. La structure des cabanes, semi-enterrées (ci-dessus) pour mieux résister au vent et au froid, était faite de défenses de mammouths. Leurs mandibules empilées et une haie d'os longs les calaient et supportaient les peaux. Les espaces intérieurs étaient divisés en plusieurs cellules pour des familles d'un même lignage par habitation.

Outre les nombreux vestiges des activités domestiques, les préhistoriens ont dégagé des cabanes d'Europe centrale des parures en ivoire, des perles, des bracelets, des diadèmes souvent richement ornementés, des armes et des outils également décorés, mais surtout une statuaire animale et humaine en ivoire et en pierre. Des figurines féminines avaient été enterrées dans des fosses creusées en bordure des zones d'habitat. Plus exceptionnels encore sont des ossements de mammouths peints de motifs géométriques complexes rouges trouvés à l'intérieur de cabanes de Meziric en Ukraine (ci-dessous). La richesse archéologique des habitats de chasseurs paléolithiques trahit celle de leurs sociétés.

construites, étaient suffisamment grandes – jusqu'à 35 mètres de longueur pour une largeur de 18 mètres à Kostienki en Russie – pour abriter simultanément plusieurs «familles» comme le montrent les foyers trouvés en fouilles ainsi que l'abondant matériel archéologique, bien conservé dans des conditions favorables. La répartition de ces structures au sol traduit les activités domestiques habituelles : préparation et cuisson des aliments, nettoyage du sol, entretien de la zone de couchage...

Les premiers artisans du monde

L'ivoire de mammouth a servi de matériau noble aux chasseurs qui pouvaient se le procurer, quand le puissant animal parcourait leurs paysages et peut-être aussi leur imaginaire comme en témoignent figurines et représentations pariétales. La parure aurignacienne (d'Aurignac, en Dordogne), trouvée en abondance dans de nombreux habitats de l'est à l'ouest de l'Europe, compte de grandes quantités de perles en ivoire. Certaines (à l'abri Blanchard en Dordogne, par exemple) ont été obtenues en série par une technique particulière de découpe de la baguette débitée dans l'ivoire, puis de perforation ayant permis de les calibrer avec précision. Plus tardive, la parure gravettienne en ivoire n'est pas moins exceptionnelle de finesse et de technicité, en particulier sous les doigts habiles des Pavloviens de Moravie ou des Kostienkiens (qui sont les Gravettiens de l'Europe orientale) de Russie et d'Ukraine : des bagues dont l'épaisseur n'excède pas un millimètre, des diadèmes ornementés de motifs incisés, des bracelets taillés dans la masse pour conserver leur enroulement naturel.

Les dents de cervidés – en particulier les craches de rennes et de cerfs –, de bovinés, d'équidés, et électivement de carnivores – des canines de félins, ours, loups, renards –, furent très fréquemment perforées pour être enfilées et portées en pendeloques ou en colliers par les vivants et par les morts dans les sépultures.

Les ossements, minces ou épais, longs ou larges, furent abondamment utilisés pour élaborer une belle panoplie d'outils, d'instruments, d'objets. Dans des

Les dents d'animaux chassés ont été abondamment utilisées par les Préhistoriques pour confectionner une partie de leurs parures, en particulier les pendeloques. La perforation est généralement pratiquée dans la racine, plus tendre, surtout pour les canines de carnivores. La présence de crocs d'animaux dangereux (à gauche), chassés sans doute pour leurs peaux et non pour leur consommation, est importante dans la symbolique des parures corporelles des vivants comme des morts qui furent ensevelis avec elles. Les représentations pariétales et mobilières (statuettes, outils, armes), à l'inverse, laissent peu de place aux carnivores, sans que le bestiaire essentiellement composé d'herbivores soit le reflet de la faune effectivement chassée. En revanche, les rondelles découpées par des Magdaléniens dans des omoplates de rennes (à droite), puis perforées sont ornées de figures animales et de motifs géométriques comparables aux représentations mobilières.

Des traces de percussion sur des omoplates de mammouths en Europe orientale, d'autres sur les draperies et concrétions dans des grottes ornées en Europe occidentale, ainsi que des appeaux et quelques flûtes taillées dans des diaphyses cylindriques d'os témoignent de l'existence de pratiques musicales au Magdalénien. Des répliques de ces instruments testées dans des grottes ornées ont permis de restituer les sons magdaléniens. Ci-dessous, une flûte magdalénienne.

omoplates de rennes, les Magdaléniens des Pyrénées et d'Aquitaine ont découpé des rondelles, ensuite perforées (peut-être pour être portées en parure ou cousues sur des vêtements) et souvent incisées de motifs abstraits, géométriques ou figuratifs. Des côtes d'herbivores étaient souvent transformées en lissoirs, couteaux, pelles, par simple abrasion de leurs bords ou affûtage de leurs extrémités. Des poignards et des manches étaient taillés dans des diaphyses d'os longs et résistants, des flûtes et des appeaux dans des os cylindriques et creux d'oiseaux.

Le sacre du chasseur

Les immenses troupeaux de rennes qui ont sillonné l'Europe, sauf dans ses extrémités péninsulaires méridionales, pendant la quasi-totalité du Paléolithique supérieur, ont fourni aux chasseurs un stock vivant, inépuisable et facilement accessible de réserves carnées et de matériaux pour la fabrication d'outils, d'armes et de pièces ornementales de petites dimensions. L'exploitation des ramures – des mâles

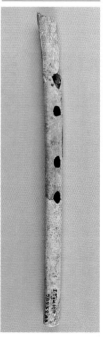

et des femelles – révolutionna les techniques de chasse et eut pour conséquence majeure un profond changement des sociétés, de leur organisation, de leur progression démographique.

Les pointes de sagaies confectionnées dans les baguettes prélevées dans les merrains présentent d'importantes variations morphologiques pendant le Paléolithique supérieur, ce qui dénote à la fois des styles et des solutions techniques différentes. Certaines sont plates, d'autres à sections cylindrique ou ovale. Il y a des sagaies losangiques, d'autres à base biseautée simple, double, à base fourchue courte ou allongée : autant de variations, autant d'emmanchements possibles et donc de meilleures adaptations pratiques

La fabrication d'armes, la mise au point continuelle de modes d'emmanchement pour le jet et d'armatures en pierre sur des fûts équilibrés ont permis aux Cro-Magnons de développer des techniques de chasse de plus en plus bénéfiques à la concentration d'habitats et à l'accroissement démographique.

aux contraintes des matériaux choisis pour les hampes et aux exigences balistiques des armes de jet. Les Magdaléniens inventèrent d'ailleurs un système particulier de fabrication de sagaies pour éviter la courbure naturelle de la baguette extraite de la ramure : au lieu de tailler un fût plus ou moins aplati ou cylindrique, ils fabriquaient deux demi-cylindres, les «baguettes demi-rondes» qui assemblées l'une à l'autre formaient un fût parfaitement rectiligne par collage et ligaturage. Bien acérée, la pointe de sagaie solidement emmanchée, projetée sur le gibier ou piquée à la manière d'une lance dans l'animal traqué, s'avéra une arme redoutable, facile à renouveler en cas de cassure (très fréquente) ou à réutiliser. On sait que l'adjonction de barbelures (les lamelles à dos) latérales collées dans des rainures aménagées à cet effet la rendit encore plus mutilante.

Deux inventions révolutionnaires : le propulseur et le harpon

Inventé par les derniers Solutréens, mais surtout développé et utilisé par les Magdaléniens, le propulseur représente un nouveau progrès, décisif pour l'évolution des techniques de tir à la chasse au gros gibier. Avec cet instrument, les chasseurs magdaléniens ont inauguré et perfectionné la chasse à distance évidemment plus efficace que celle requérant une approche toujours incertaine et périlleuse d'herbivores et de carnivores prompts à fuir ou à menacer. Normalement coupé dans des merrains

L'âge du Renne, terme utilisé à la fin du XIXe siècle pour ce qui est actuellement rapporté au Magdalénien, montre la place économique que tenait cet animal. Les rennes ont fourni en abondance leurs chairs à consommer. Leurs os étaient utilisés comme supports d'outils ou d'armes, ils servaient également de supports pour les représentations gravées ou sculptées. Les ramures, les peaux et les tendons étaient utilisés pour les vêtements et les revêtements des cabanes.

Page de gauche, en haut, pointes de sagaies en os du Paléolithique supérieur; page de gauche, en bas, un redresseur de sagaies.

de rennes (ou de cerfs), parfois dans des os (et probablement aussi en bois), le propulseur est un levier, muni d'un crochet, taillé dans la masse à une extrémité, ou d'une perforation pour caler la base de l'arme de jet. L'observation des chasseurs aborigènes ou eskimos qui utilisaient encore récemment des propulseurs tout à fait semblables, et les expérimentations récemment faites par des préhistoriens mettent en valeur l'utilité du propulseur pour accroître conjointement la précision et la distance des lancers.

La riche décoration de la plupart des propulseurs retrouvés dans les habitats magdaléniens, surtout des Pyrénées, est peut-être la manifestation d'une valorisation symbolique de l'instrument si performant et bénéfique : des gravures d'animaux et de signes sur les fûts, des sculptures d'animaux sur les crochets. On se plaît à imaginer le pouvoir que l'instrument ainsi paré conférait à celui qui l'utilisait, nécessairement habile et fort entre tous les chasseurs.

Les plus légères pointes de silex (3 ou 4 grammes) étaient fragiles, mais leur force de pénétration dans les cuirs épais était

Les décorations des instruments de chasse magdaléniens, en particulier les bâtons percés et les propulseurs, sont de véritables chefs-d'œuvre. Sur les fûts ou les manches, les sculpteurs alignaient ou enroulaient des frises d'animaux et très souvent aussi des suites de signes. Les sculptures des extrémités privilégient les animaux comme ces bouquetins affrontés d'Enlène.

inégalable. Elles étaient emmanchées à l'extrémité de hampes de sagaies taillées dans des ramures de cervidés, parfois dans des ivoires de défenses de mammouth. Auraient-elles servies d'armatures de flèches? Aucun arc ni aucune hampe effilée n'ont été retrouvés dans les sites du Paléolithique supérieur, qui auraient permis de le montrer. Pas davantage de figuration de scènes de chasse à l'arc dans les grottes paléolithiques, comme on en connaît dans les abris peints ou gravés au cours de périodes plus récentes (postglaciaires) dans diverses régions du monde, par exemple dans le Levant espagnol. En Europe, au cours de l'Holocène, l'arc prend manifestement le relais du propulseur pour la chasse, plus difficile, d'animaux moins grégaires ou vivant solitaires dans un paysage forestier de plus en plus dense. L'arc hérite et perfectionne, par davantage de force et de précision, le principe de propulsion inventé et mis en pratique une dizaine de millénaires auparavant par les chasseurs magdaléniens des grands espaces ouverts des horizons glaciaires.

Les harpons, taillés dans les bois de rennes et de cerfs (ils sont alors plus

Le comparatisme ethnographique sur lequel s'appuyèrent les préhistoriens de la fin du siècle dernier et du début de celui-ci souffre d'une erreur fondamentale : on a voulu comparer les Préhistoriques à des hommes actuels vivant dans des économies d'autosuffisance naturelle, comme s'il n'y avait pas eu d'évolution! Alors qu'il eût fallu ne comparer qu'une partie des techniques et des objets, telle la chasse au propulseur pour des Aborigènes en Australie, déjà pratiquée par les Magdaléniens (schéma ci-dessus). En vérité, le recours à l'ethnographie comparée permet de mettre en valeur l'extrême diversité des solutions techniques et culturelles trouvées par les hommes pour résoudre leurs problèmes de modes de vie et de sociétés.

plats), représentent la dernière invention révolutionnaire des Magdaléniens, à la fin des temps glaciaires, pour la chasse et la pêche de poissons assez volumineux, tels les saumons et truites, largement consommés comme l'attestent leurs vestiges dans les aires domestiques. La fixation sur des hampes de harpons, barbelés sur un bord ou sur les deux, souvent perforés à leur base (pour y arrimer facilement un lien), était conçue pour faciliter la pénétration et rester dans les chairs du gibier.

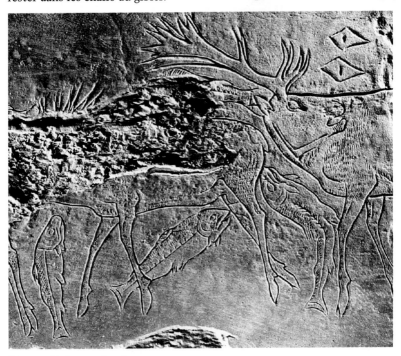

Une société en quête de sens

En peu de temps, au regard de la longue préhistoire qui les avait enfantés, les chasseurs du Paléolithique supérieur européen ont mis au point des armes et des techniques de chasse et de pêche d'une efficacité sans

L'hyperréalisme des animaux est confronté à l'abstraction apparente des signes losangiques sur ce bois de renne magdalénien.

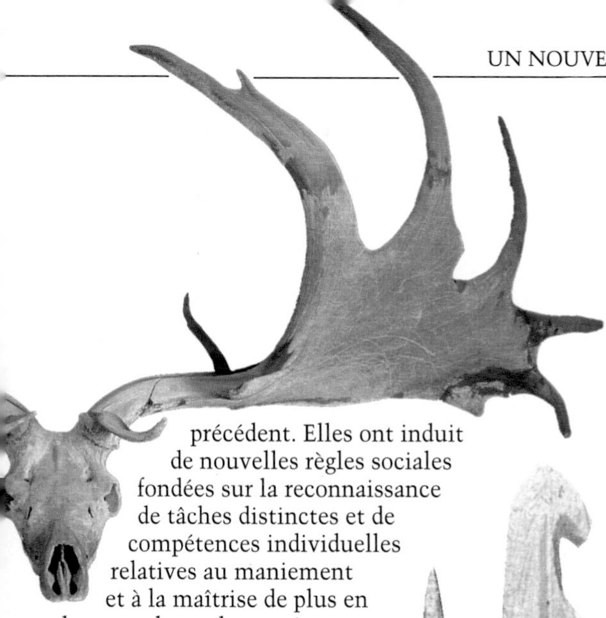

Les cerfs mégacéros aux bois démesurés n'étaient ni fréquents ni constamment présents dans les paysages parcourus par les chasseurs du Paléolithique supérieur. Ces derniers ont peu utilisé leurs ossements pour confectionner outils et armes, à l'inverse d'autres cervidés comme le renne, mais aussi le cerf élaphe vivant dans les zones tempérées à l'écart des climats glaciaires.

précédent. Elles ont induit de nouvelles règles sociales fondées sur la reconnaissance de tâches distinctes et de compétences individuelles relatives au maniement et à la maîtrise de plus en plus complexes de certaines d'entre elles : découpage de gibier, cuisine, débitage des matières premières, retouche d'outils... Parce que l'approvisionnement en ressources carnées croît considérablement, la population augmente et se concentre dans de grands habitats collectifs pouvant rassembler plusieurs centaines de personnes, marques d'une indéniable sédentarisation. Ici, de vastes abris voisins les uns des autres comme La Madeleine et Laugerie-Basse, le long de la Vézère, densément peuplés à la fin du Magdalénien; là, dans la plaine russe, des agglomérations de quelques cabanes semi-enterrées de chasseurs gravettiens de mammouths.

Ce sont les Magdaléniens qui ont inventé et utilisé les harpons pendant les derniers millénaires du Tardiglaciaire. Taillés dans des bois de rennes, leurs harpons ont un fût plutôt cylindrique (ci-contre). Leurs armatures barbelées, souvent perforées à leur base pour y passer une ligne, sont efficaces pour la pêche et la chasse en milieu aquatique. Les Aziliens, qui succèdent aux Magdaléniens en Espagne cantabrique et en France, ont taillé leurs harpons dans des ramures de cerf élaphe, le renne ayant disparu de ces contrées avec la fin du climat glaciaire.

La longue errance du charognage opportuniste qui caractérise pendant longtemps la préhistoire des hommes est oubliée, les aléas de chasses encore hésitantes d'*Homo erectus* et de Néandertaliens sont enfin définitivement surmontés par ces chasseurs organisés et expérimentés du Paléolithique supérieur. La relation à la nature change radicalement sous le poids de leurs techniques nouvelles. L'exploitation plus intense des territoires tend à transformer les paysages et impose peu à peu une gestion de plus en plus

A Lascaux, on ne trouve qu'une seule représentation d'homme, d'oiseau et de rhinocéros (ci-dessus, la «scène du Puits»).

contrôlée des ressources végétales et animales. Le choix des animaux chassés en fonction de leur âge et de leur sexe en est une preuve absolue, bien mise en évidence par l'archéozoologie. En effet, les ossements des animaux trouvés en fouilles dans les restes culinaires ou les aires de boucherie, les implantations des sites, sur un gué ou une voie de migration, à la sortie d'un défilé ou en bordure d'une étroite vallée, facile à surveiller et à contrôler, révèlent directement ces comportements sélectifs grâce auxquels le stock de gibier est maintenu et son renouvellement assuré. L'intensification de la chasse et l'amélioration de son efficacité en entraînant d'une part l'accroissement démographique et d'autre part l'altération du milieu sauvage ont paradoxalement conduit à sa maîtrise relative dont la domestication fut une conséquence ultime. La domestication de plantes et d'animaux en plusieurs endroits du monde depuis 4 500 ans et parfois plus encore est aussi la première grande conquête d'une technique de production par certains peuples néolithiques.

Les chasseurs du Paléolithique supérieur n'ont vraisemblablement pas cherché à évoquer dans leur art les scènes de vie quotidienne qu'imagine l'illustrateur tchèque Zdénék Burian (ci-dessus). Sur les parois des grottes ou sur les manches des armes de chasse, animaux et humains se côtoient sans qu'aucun lien figuratif ne les unisse. Ils coexistent, simplement. La «scène du Puits» de Lascaux (à gauche), qui a longtemps été interprétée comme une illustration de chasse, n'en est pas une. La scène paraît plus mythique que commémorative.

D'Afrique, «Homo erectus» avait gagné, il y a plus d'un million d'années, l'Europe et l'Asie jusqu'à l'extrémité de l'Indonésie, alors péninsule. Mais il n'avait pu accéder à d'immenses territoires, hors de sa portée technologique et protégés par des barrières naturelles. En une cinquantaine de milliers d'années à peine, «Homo sapiens sapiens», l'Homme moderne, parachève la conquête du globe.

CHAPITRE II
«SAPIENS SAPIENS», LE CONQUÉRANT

Sur les montagnes et par les mers, l'Homme moderne de la Préhistoire achève la conquête du globe, voici moins de 10 000 ans. Aujourd'hui, ses descendants vivent adaptés aux conditions les plus extrêmes, preuve d'une évolution réussie vers une certaine indépendance vis-à-vis de la Nature.

Jusqu'au bout du monde : Amérique, Australie

Il y a au moins une quarantaine de milliers d'années, l'actuelle Australie ne formait qu'une seule terre avec la Nouvelle-Guinée au nord et la Tasmanie au sud. Cette «grande Australie» était séparée de la Sunda, c'est-à-dire la presqu'île asiatique de la Sonde – actuellement fragmentée en un chapelet d'îles par la dernière transgression marine de la fin du Pléistocène – par un bras marin d'une centaine de kilomètres de large. Ce détroit n'a pu être franchi que sur des embarcations emmenées par d'audacieux *Sapiens*, les premiers navigateurs connus.

La Béringie, pont naturel émergé pendant les régressions marines du Quaternaire, large d'un millier de kilomètres du nord au sud, ouvrit la voie vers le continent américain à des *Sapiens* capables de dominer les climats extrêmement rudes de toundras et de steppes barrées à l'est par la haute chaîne de Brooks et les Rocheuses. Celles-ci étaient alors recouvertes par l'épaisse chape glacée de l'*inlandsis* en pleine extension pendant ces phases très froides et l'abaissement consécutif des niveaux marins. L'adaptation économique réussie des chasseurs de mammouths, de chevaux et de bisons en Béringie

La conquête du monde a commencé il y a plus de 2 millions d'années avec *Homo habilis* dont les migrations en Afrique ne sont qu'imparfaitement et partiellement connues. Elle s'est récemment (jusqu'aux temps historiques) achevée dans des îles du Pacifique. Il est possible qu'*Homo habilis* ait quitté l'Afrique, mais il n'en existe pas de preuve. En revanche, il est sûr qu'*Homo erectus* l'ait fait car ses outils et ses vestiges osseux parsèment l'Europe et l'Asie, depuis au moins 1,5 million d'années. L'ultime conquérant est *Sapiens*, soit à partir d'un foyer situé dans l'est méditerranéen

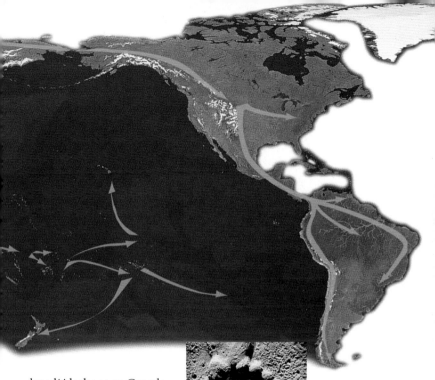

dans l'Alaska et au Canada (site de Old Crow, grottes de Bluefish) est suivie par une seconde étape de migration vers l'est, lorsque s'ouvre un passage entre les Rocheuses et la calotte glaciaire couvrant le bouclier canadien en retrait. Dans le même temps, à l'ouest, la remontée des eaux rouvre le détroit entre les continents, en arrière des premiers conquérants du Nouveau Monde. Ces derniers sont alors confrontés à d'autres exigences économiques dans les grandes plaines américaines et jusqu'à l'extrémité australe de l'immense continent, atteinte il y a au moins une douzaine de milliers d'années. Les chasseurs vont dès lors s'adapter à des milieux aussi contrastés que et l'est africain septentrional, soit à partir de plusieurs souches dérivées de *Homo erectus*. C'est lui qui conquiert, à l'est de ses origines, l'Australie et l'Amérique et dompte peu à peu les mers et océans. (Ci-contre, trace de pas dans la grotte de Fontanet, en Ariège.)

C arte ci-dessus : en rouge, le trajet des migrations de *Homo erectus*; en vert le trajet des migrations de *Homo sapiens*.

les hautes altitudes andines, l'immensité du bassin éminemment irrigué de l'Amazone.

Les peuplements spectaculaires de l'Australie et de l'Amérique, ceux des montagnes peu à peu libérées de leurs glaciers et des îles progressivement atteintes par navigation au gouvernail dès la fin des temps glaciaires révèlent l'extraordinaire puissance adaptative des Hommes modernes de la Préhistoire, la rapidité avec laquelle ils surent résoudre les problèmes soulevés par la découverte et la maîtrise de plantes et d'animaux inconnus : tarot, maïs, lamas…
Cette diaspora définitive des *Sapiens* modernes de la Préhistoire fut décisive pour l'unité génétique de l'humanité actuelle, celle de l'unique espèce humaine encore vivante aujourd'hui : *Homo sapiens sapiens*. Elle le fut également pour sa variété adaptative, manifestée par les morphologies différenciées des types humains, et enfin pour sa fantastique diversité culturelle, dont témoignent, quarante mille ans plus tard 3 000 langues parlées dans le monde!

Du chasseur *Sapiens* de la grotte de Skhul (ci-dessous), du Mont Carmel, au chasseur mythique manuyu de l'art sacré aborigène de terre d'Arnhem (à gauche) se mesure l'étendue de l'empire des *Sapiens*.

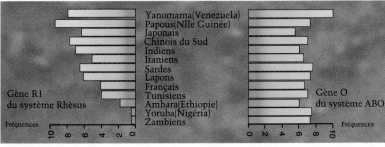

Gène R1 du système Rhèsus

Fréquences

Yanomama(Venezuela)
Papous(Nlle Guinée)
Japonais
Chinois du Sud
Indiens
Iraniens
Sardes
Lapons
Français
Tunisiens
Amhara(Ethiopie)
Yoruba(Nigéria)
Zambiens

Gène O du système ABO

Fréquences

Néandertal, l'Européen, et Cro-Magnon, l'immigré

La Préhistoire moderne de l'Europe reflète l'image d'*Homo sapiens sapiens*, conquérant venu de l'est, envahir des terres encore faiblement et inégalement peuplées par *Homo erectus* plus d'un million d'années auparavant et depuis plus de 200 000 ans par des Anténéandertaliens puis par des Néandertaliens (*Homo sapiens neandertalensis* qui évolua en Europe pendant plusieurs dizaines de milliers d'années, à l'écart des autres lignées évolutives de *Homo sapiens*). C'est au Proche-Orient parmi les anciens Moustériens connus en Palestine, au Mont Carmel notamment, que s'enracinent les origines d'*Homo sapiens sapiens*, premier Homme moderne, plus connu sous le nom de Cro-Magnon en Europe. Son immigration commence à laisser des traces culturelles (industries lithiques et osseuses) vers – 40 000 ans en Europe centrale. Sa progression a dû être fulgurante car on retrouve ses traces en Occident dès les premières manifestations aurignaciennes datées entre – 35 000 ans environ et – 40 000 ans.

Les Aurignaciens, qui sont tous des *Sapiens sapiens*, créent et développent, avec des variations régionales notables, une culture radicalement nouvelle par

Les recherches sur la génétique des populations mettent en valeur l'unité anthropologique du peuplement actuel et sa diversité génétique relative. Les graphiques ont été réalisés par le professeur André Langaney et son équipe de paléoanthropologues. Ils montrent que «dans certains cas, les différences de fréquences des gènes sont grandes, mais le même gène peut exister dans des populations très différentes (cas du gène R1). Dans d'autres cas, les fréquences sont pratiquement égales dans toutes les populations (cas du gène R0)». Cette présence constante des mêmes gènes dans toute la population suffit à démontrer que le concept de race est purement politico-culturel. La courbe établie par la même équipe montre clairement un premier fort accroissement de la population mondiale entre 10 000 ans et notre ère, ce qui correspond à la mise en place de nouveaux systèmes économiques néolithiques. Le second accroissement, récent, correspond à la révolution industrielle.

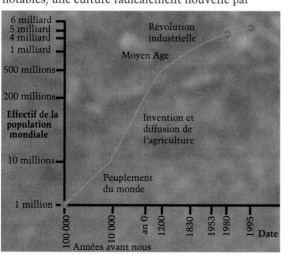

rapport à celles des Néandertaliens (moustériennes et châtelperroniennes). Certes, des caractères d'acculturations sont décelables dans les premiers ensembles industriels aurignaciens de l'Europe centrale et orientale, comme s'il y avait eu influence ou assimilation de traits culturels et techniques moustériens préexistants. Mais les fouilles conduites en France et en Espagne dans des habitats de Châtelperroniens (les derniers Néandertaliens connus en Europe atlantique) et dans ceux beaucoup plus nombreux des nouveaux venus Aurignaciens, qui furent vraisemblablement un temps leurs voisins avant de prendre définitivement leur place, mettent en évidence des différences fondamentales. Là, aucun échange culturel, aucune influence ne se décèlent entre les ensembles industriels et culturels des anciens, les Néandertaliens châtelperroniens encore fortement marqués par la culture moustérienne, et les modernes avec leurs nouveaux outils, leur mode perfectionné de débitage, leurs instruments de chasse plus efficaces, leur façon de vivre révolutionnaire et leurs premières représentations figuratives dans certains de leurs habitats, du côté de la Vézère, de l'Ardèche et en Allemagne aussi.

Deux humanités face à face

Rien ne permet de qualifier de belliqueuse ou de pacifique cette coexistence multimillénaire, en

L'habitat aurignacien du Vogelherd en Allemagne (page de droite) a livré dans ses sols datés nettement au-delà de 30 000 ans une admirable série d'une dizaine de figurines animales en ivoire : cheval, félin, bison, mammouth (ci-dessous). La stylistique de cette statuaire, peut-être la plus ancienne connue, montre le haut niveau technique et esthétique atteint par les Aurignaciens,

une quinzaine de milliers d'années avant les Magdaléniens de Lascaux. D'entrée, l'art mobilier rassemble les caractères propres à l'art paléolithique.

France et partiellement en Espagne, de deux populations étrangères l'une à l'autre. La dérive génétique des Néandertaliens dans le finistère eurasiatique s'était-elle opérée, depuis leur séparation du tronc commun des *Sapiens* plusieurs dizaines de milliers d'années auparavant dans le Proche-Orient? Leur patrimoine génétique s'était-il différencié de celui hérité par d'autres *Sapiens*, les nouveaux immigrés européens, rendant impossible le rapprochement entre eux, comme entre deux espèces? Il est troublant d'imaginer ces deux humanités, pratiquement face à face, sous nos latitudes, il n'y a pas si longtemps! Certes notre compréhension irait plus facilement vers l'Evolué, le Moderne, notre ancêtre! Mais l'autre? Lui aussi, ce Néandertalien,

Les signes, croisillons, points que portent sur les flancs certaines des figurines du site de Vogelherd démontrent aussi la portée symbolique acquise par les toutes premières représentations.

physiquement plus archaïque mais au cerveau aussi volumineux et même plus que le Cro-Magnon, était homme, pleinement. Ses industries moustériennes atteignaient déjà un haut degré de technicité. Cette silencieuse confrontation s'acheva aussi discrètement qu'elle débuta par l'irrésistible ascension du

L'identification, en 1972, d'un Néandertalien dans le niveau châtelperronien de la grotte de Saint-Césaire mit fin à l'idée que le Châtelperronien devait être associé à l'Homme de Cro-Magnon car cette industrie intégrait un débitage laminaire. Cette découverte prouve que le Néandertal de Saint-Césaire avait bien acquis des pratiques techniques proches de son concurrent, le nouvel immigré en Europe occidentale, Cro-Magnon.

plus puissant, puissant par son cerveau et son organisation sociale en pleine effervescence dans laquelle ce qu'il est convenu d'appeler «art» joua un rôle majeur, totalement novateur.

Le baby boom périgourdin

Le Périgord, grâce à la multiplicité des fouilles qui y furent faites depuis les tout débuts de la science préhistorique, offre l'exemple idéal de l'expansion sur place des sociétés de Cro-Magnon. Celle-ci inaugurée par les Aurignaciens puis progressivement amplifiée par les Gravettiens et les Solutréens fut portée à son paroxysme par les Magdaléniens avant que ne s'étiolent les climats glaciaires et que d'autres sociétés ne parviennent au seuil des économies de production.

Par rapport aux implantations moustériennes largement répandues en France (et dans toute l'Europe), les implantations châtelperroniennes semblent marquer une régression quantitative.

L'évolution des Néandertaliens en Europe atlantique est sans doute négative avant la disparition de cette nappe humaine, peut-être simplement accélérée par l'impérialisme colonisateur de Cro-Magnon. Quoi qu'il en fût des conséquences de cette confrontation, il apparaît clairement une expansion aurignacienne en Périgord (et ailleurs bien sûr), telle que le nombre d'habitats s'accroît considérablement,

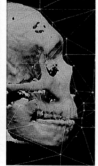

pendant la coexistence des deux populations et encore davantage pendant la seconde moitié du développement de l'Aurignacien. La population des vallées, vallons et combes naturellement protégés, est par endroits si dense – plusieurs centaines de personnes – qu'elle forme un paysage humain continu, comme celui de nos petits villages dont les clochers se regardent de loin en loin. Dans la vallée de la Vézère entre Sergeac-Saint-Léon et Limeuil

Pour être fiable, la reconstitution des visages d'hommes préhistoriques doit reposer sur des pièces fossiles, accompagnée d'une multitude de mensurations et de mesures d'angles, facilitée bien sûr par l'analyse informatisée d'images (ci-dessous). Les variations morphométriques individuelles doivent être prises en compte afin de définir un modèle possédant les caractères communs à l'ensemble des fossiles qu'il est censé représenter. L'expression des traits anatomiques dépendent du squelette crânien. Pour l'Homme de Néandertal, en image numérisée (reconstitué ci-contre, en «habillant» un crâne fossilisé de Néandertalien avec le faciès d'un homme contemporain, photo de gauche) ou bénéficiant du talent d'un illustrateur (page de gauche), il s'agit surtout du front encore fuyant, des arcades orbitaires prononcées, du léger prognathisme et du menton en retrait, caractéristiques des Néandertaliens. En revanche, la restitution des parties molles (joues, lèvres) reste conjecturale. Enfin, seul l'imaginaire artistique et scientifique permet de figurer la peau, sa couleur, la pilosité et la chevelure.

au confluent avec la Dordogne, dans les vallées affluentes des Beunes tout près des Eyzies-de-Tayac, les habitats pullulent, voisinent souvent. A l'évidence, ils sont réunis dans un seul tissu économique d'acquisition des matériaux et des ressources, d'échanges par la nécessité de gérer en commun, au moins de proche en proche, le territoire disponible.

Ce type d'agglomération d'habitats n'a pas encore la structure villageoise, puis urbaine, des sociétés néolithiques ouvertes à la production et au stockage de denrées et pratiquant la domestication. Il n'en témoigne pas moins d'une sédentarisation semi-définitive rendue possible, comme on le sait, par des techniques de chasse plus productives (et sans doute de cueillettes contrôlées) et de façon concomitante par de nouvelles règles sociales, rendues perceptibles par leurs manifestations symboliques : insignes de pouvoir, signes particuliers dans les grottes et sur les objets...

L'implantation magdalénienne en Périgord : un nouvel art de vivre

Les fouilles d'habitats magdaléniens situés sur des collines ont permis de mettre mieux en évidence la complexité de la géographie humaine du Périgord magdalénien. Les campements et habitats de plein air découverts sur les hauts de collines de la vallée de l'Isle correspondent à des installations sinon définitives du moins non éphémères. Les pavements de galets soigneusement construits pour former les sols isolants et stables des cabanes représentent

L'implantation humaine en Périgord, longue de quelques centaines de milliers d'années, attira très tôt des fouilleurs clandestins ou officiels. De grands habitats, tel l'abri de Laugerie-Basse au bord de la Vézère (ci-dessus), furent intensément fouillés dès les années 1860 : ils livrèrent les premières données culturelles et stratigraphiques de la Préhistoire. A droite, densité des habitats paléolithiques dans la région.

La Vézère

La Beune

3 Km

Sireuil

Les Eyzies-
de-Tayac

une masse colossale
d'efforts que ne
justifieraient pas de brefs
séjours : parfois des tonnes
de galets rapportés de la rivière!
Ces habitats de plein air, encore
trop peu connus et fouillés pour savoir

L'excellente
sédimentation et la
non-acidité des sols ont
favorisé la conservation
des objets lithiques
et osseux dans les
habitats préhistoriques
de cette région calcaire.

s'ils étaient aussi nombreux que ceux aménagés dans les abris sous roche et les pieds de falaises, dévoilent clairement l'expansion démographique des Magdaléniens résolus à maîtriser la totalité des espaces accessibles, même lorsqu'ils ne présentaient pas les qualités naturelles de leurs espaces de vie traditionnels.

Par rapport à la colonisation aurignacienne de Cro-Magnon, l'implantation magdalénienne en Périgord traduit un niveau d'organisation sociale et économique beaucoup plus élevé, jamais atteint auparavant, comme le montrent la multiplicité des représentations et des signes symboliques ainsi que la diversité des vestiges liés

Des pavages de galets de quartz (ci-dessus), souvent rubéfiés par des feux, matérialisent des fonds de cabanes construites par des Magdaléniens qui y abandonnèrent leurs outils. La forme quadrangulaire de ces sols empierrés est remarquable, spécifique de la région de la vallée de l'Isle en Périgord. Elle diffère notablement des huttes circulaires rendues célèbres par le site magdalénien de Pincevent.

aux activités domestiques. L'exploitation d'un nombre croissant de ressources naturelles se fait selon des modalités collectives, rationalisées en quelque sorte. En effet, l'approvisionnement en silex de bonne qualité (comme le Bergeracois), le ravitaillement en viande pour la population concentrée sur un territoire relativement modeste, l'acquisition de coquillages, de fossiles et de pierres rares ou insolites pour la confection de parures… reposent sur la mise en place, au moins tacite, d'un système généralisé d'échanges, de réseaux de contacts, de déplacements selon des trajets connus ou reconnus par les divers groupes humains (tribus ou ethnies selon leur importance numérique).

Ainsi, l'expansion démographique des Magdaléniens en Périgord, et bien au-delà en Europe jusqu'à ses extrémités orientales, correspond bien au développement intensif de ses structures économiques et de leur gestion sociale. Le premier baby boom de l'humanité paléolithique marque l'éclosion d'un mieux savoir-vivre social.

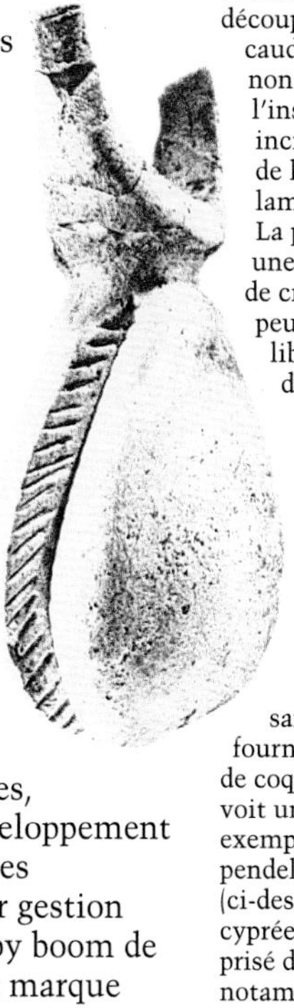

La décoration des outils répond à des normes fonctionnelles. Ainsi, l'exécution d'un poisson semble découler de la forme en coupe-papier du lissoir provenant de la petite grotte Rey, en Dordogne. Les Magdaléniens ont découpé une nageoire caudale à l'extrémité non active de l'instrument et ont incisé la silhouette de l'animal sur la lame (bas de page). La parure exprime une extrême liberté de création, faisant peut-être écho à la liberté individuelle des expressions corporelles et des modes vestimentaires. Une des plus curieuses manifestations de la variété des options symboliques de la parure est sans nul doute fournie par l'imitation de coquillages. On en voit un superbe exemple avec cette pendeloque en ivoire (ci-dessus) imitant une cyprée, coquillage très prisé des Préhistoriques notamment pour son évocation du sexe féminin. A l'opposé, la découpe d'un os est pure invention de forme, souvent enrichie d'une thématique géométrique incisée (à gauche, pendeloque de Laugerie-Basse, Dordogne).

L'invasion progressive et décisive des grands chasseurs de la fin des temps glaciaires amena l'Europe à sa modernité, celle d'une mosaïque d'ethnies et de cultures définissant des territoires. Les sociétés du Paléolithique supérieur atteignirent alors une maturité économique et culturelle suffisante pour fonder et affirmer leurs différences identitaires.

CHAPITRE III
L'EUROPE DES CULTURES

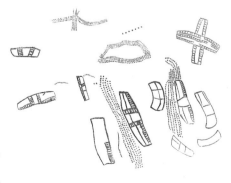

Deux petites silhouettes féminines stylisées sur une plaquette de schiste (site de Gönnersdorf) à gauche, un superbe relevé de grands signes peints sur une voûte de la grotte d'El Castillo (relevé à droite) : voilà bien la magnifique diversité et la complexité symbolique de l'art des Magdaléniens.

Le poids des traditions

Il serait parfois difficile, d'un point de vue typologique, de rendre à des Acheuléens évolués ou à des Moustériens anciens, du nord de la France et du sud-ouest, leurs industries respectives si leurs provenances stratigraphiques n'étaient connues avec précision. En effet, le passage est typologiquement et technologiquement insensible entre les ensembles d'outils de la fin de l'Acheuléen, répandus dans une grande partie de l'Ancien Monde par *Homo erectus*, et ceux des premiers ensembles moustériens de Néandertaliens, descendants des précédents dans la même aire géoculturelle.

Ce sont les mêmes types d'outils qui furent taillés par les uns puis par les autres selon des gestes techniques identiques ou équivalents. Le poids des traditions, du savoir, est prépondérant et les changements paraissent encore peu nombreux et extrêmement lents. Les bifaces perdurent longtemps dans certains ensembles moustériens, sous des formes, il est vrai, plus graciles et symétriques dues à l'emploi du percuteur tendre (ramure, bois, os) pour la finition de la taille. Ce n'est qu'ensuite (ou ailleurs) que des assemblages moustériens ont intégré, dans des proportions variables, des outils nouveaux, faits sur éclat, comme les racloirs et les denticulés.

Transmission du savoir et divergences culturelles

Le buissonnement moustérien, en France et ailleurs en Europe, en Asie et en Afrique, procède d'un éventail technique ouvert auparavant par la mise au point d'un débitage tout à fait particulier qui permet de prévoir la forme exacte de l'éclat ou de la pointe avant son détachement du nucléus. Cette méthode de débitage, appelée Levallois (du nom de Levallois-Perret dans les Hauts-de-Seine où les sablières

Le débitage permet d'obtenir des supports appelés éclats, lames, lamelles, aux dimensions souhaitées. Ces supports sont ensuite transformés en outils, grattoirs, perçoirs, burins... par la retouche de leurs bords ou/et de leurs faces. La première étape consiste à choisir les percuteurs, puis les matières premières dans les affleurements, les lits de rivières... Les Paléolithiques n'hésitaient pas à parcourir des dizaines de kilomètres pour s'approvisionner en matériaux de première qualité. La préparation du nucléus, son épannelage, sa mise en forme précèdent l'action même du débitage (ci-dessous, nucléus et pointe Levallois).

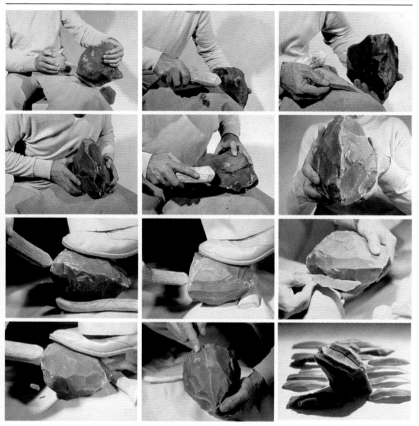

avaient livré au siècle dernier d'importantes séries lithiques), n'a pas été pratiquée par tous les Moustériens, notamment ceux qui taillaient encore des bifaces. Ceci peut s'expliquer par le fait que la méthode est complexe. Elle requiert l'apprentissage et la mise en action d'une série de gestes ordonnés. Sa transmission repose donc sur un apprentissage; elle implique une filiation du savoir qui, par elle-même, est ou devient exclusive, c'est-à-dire tient à l'écart, de fait, ceux qui sont étrangers au milieu techno-culturel dont elle émane. C'est au savoir technique, si bien révélé par la méthode Levallois, et aux différences de leurs assemblages d'outils que se mesurent les

La méthode de débitage Levallois fut retrouvée par les préhistoriens, ici Jean Tixier. Elle implique une maturité technologique et fait supposer la pratique de l'apprentissage, bien avant le considérable développement des techniques de débitage de lames et de lamelles mises au point par les *Sapiens*.

Face aux figurines aurignaciennes d'une haute tenue esthétique, les blocs calcaires du Périgord gravés par d'autres Aurignaciens (peut-être contemporains ou plus récents) paraissent extraordinairement frustes : le groupe périgourdin, essentiellement des vulves profondément gravées comme ici dans les abris de Blanchard (ci-contre), Laugerie-Haute (page de droite) et Cellier (ci-dessous), se trouve dans un réel isolement thématique et techno-stylistique, non seulement au sein de la vaste civilisation aurignacienne étendue à l'Europe, mais aussi pendant tout le Paléolithique supérieur.

divergences culturelles des Moustériens en Europe occidentale.

Il serait singulier que le jeu de bascule entre les traditions et les innovations techniques moustériennes (les seules vraiment perceptibles grâce à leur totale conservation) ne résulte pas d'orientations ethnoculturelles plus amples que celles données par le simple savoir-faire technique. Aux outils nouveaux correspondent évidemment des fonctions nouvelles, qui traduisent des modes de vie différenciés, toujours mieux adaptés aux contraintes du milieu et à sa meilleure exploitation.

Les Aurignaciens : une mode artistique sur les bords de la Vézère

Si de grandes provinces moustériennes dessinent en filigrane leurs originalités naissantes, ces manifestations sont encore trop modestes pour prétendre à une identité culturelle propre. C'est avec les Aurignaciens que la notion de territoire culturel prend réellement sens.

L'exemple des dessins de la Vézère est à ce titre très significatif. Superbement lovés dans les chauds replis calcaires de la Vézère, du côté des Eyzies et de Sergeac, une poignée d'abris sous roche habités par des Aurignaciens ont conservé des gravures, incisées et piquetées sur des blocs; certains petits, facilement manipulables et transportables, d'autres beaucoup plus encombrants, véritablement difficiles à déplacer. Les origines stratigraphiques permettent de les attribuer à une période située entre – 30 000 et – 25 000 ans environ. Les représentations animales y sont rarissimes et comme engoncées dans la raideur graphique d'une inexpérience manuelle, peut-être conceptuelle. En revanche, les sept à huit dizaines de dessins de vulves témoignent d'une certaine maîtrise du jeu graphique, oscillant entre un réalisme figuratif suggestif et un symbolisme schématisant, également inattendu à ces débuts de l'art sur pierre en Occident.

La durée de l'art aurignacien est impossible à préciser en raison de l'ancienneté des fouilles des abris. Son extension est par contre bien circonscrite dans un espace de quelques dizaines de kilomètres carrés, à proximité immédiate de la Vézère, vallée hautement civilisatrice s'il en fut. L'homogénéité technique, stylistique, de ces dessins d'un abri à un autre prouve qu'il existait des relations étroites entre les habitants des différents abris, immédiatement voisins ou un peu plus éloignés.

Beaucoup pensent à tort que l'art des chasseurs du Paléolithique était purement animalier. Les vulves gravées sur les blocs calcaires trouvés dans les habitats proches de la Vézère sont aurignaciennes, âgées de plus de 25-30 000 ans. Ce sont les premières créations iconographiques du Paléolithique supérieur. D'emblée, sexualité et représentation graphique forment un couple symbolique. Il l'est resté depuis et jusqu'à nos jours, sous forme explicite ou sous forme de tabous. Les vulves et phallus figurés par les Paléolithiques placent l'art dans son origine, le corps qui engendre le sens et le futur.

Espace naturel, espace culturel

La mise en évidence d'une symbolique pariétale autorise aussi à définir un espace culturel dans la mesure où elle révèle une identité commune à une population active pendant un certain temps et circonscrite dans l'espace. L'exemple des «tectiformes» est particulièrement parlant. Les tectiformes sont des signes géométriques complexes dont la forme évoquait des huttes, des «toits» pour les préhistoriens du début de ce siècle imprégnés du comparatisme ethnographique régnant. A ce jour, une bonne cinquantaine de tectiformes gravés ou dessinés en rouge et noir ont été relevés dans des dispositifs

pariétaux magdaléniens de quatre grandes grottes du Périgord : Bernifal, Combarelles et Font-de-Gaume (qui en recèle presque la moitié), grottes voisines situées dans la vallée de la Beune, tout près des Eyzies, et Rouffignac à quelques kilomètres plus au nord. Le signe est inconnu dans les autres grottes de la région et ailleurs dans les provinces magdaléniennes franco-ibériques. Les dispositifs pariétaux des quatre grottes périgourdines présentent de nombreux points communs, thématiques ou techniques, mais chacun est original. Entre eux, les tectiformes tissent un lien symbolique, comme

L'élaboration symbolique des signes complexes comme les grands rectangles cloisonnés d'Altamira (ci-dessus, à droite) ou les tectiformes de Font-de-Gaume (ci-dessus, à gauche) permet de discriminer des identités culturelles régionales, voire locales.

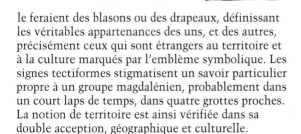

le feraient des blasons ou des drapeaux, définissant les véritables appartenances des uns, et des autres, précisément ceux qui sont étrangers au territoire et à la culture marqués par l'emblème symbolique. Les signes tectiformes stigmatisent un savoir particulier propre à un groupe magdalénien, probablement dans un court laps de temps, dans quatre grottes proches. La notion de territoire est ainsi vérifiée dans sa double acception, géographique et culturelle.

La construction graphique des grands signes montre des variations d'un site à un autre, parfois dans la grotte elle-même, sans doute significatives de différences symboliques au sein de la société qui les a engendrés.

Territoires et migrations du signe claviforme

Une situation analogue caractérise les grottes magdaléniennes à «claviformes», dans les Pyrénées ariégeoises, peut-être contemporaines des grottes à tectiformes du Périgord. La cinquantaine de claviformes, signes en forme de massue (du latin *clavus*, «massue») – gravés ou dessinés avec des colorants rouges (rarement noirs) dans six grottes (Niaux, Fontanet, Le Portel, le Mas-d'Azil, les Trois-Frères et le Tuc d'Audoubert) –, définit une symbolique qui leur est propre et distingue ces grottes des autres grottes voisines ou proches. Ici encore l'immobilisation pariétale de l'emblème claviforme sur une distance modeste (80 kilomètres environ), dans le piémont calcaire pyrénéen, plus densément peuplé au cours du Magdalénien qu'auparavant, donne les limites d'un espace dans sa spécificité culturelle.

Cependant, quelques signes claviformes tracés en rouge clairement identifiés dans au moins deux grottes magdaléniennes espagnoles, La Cullalvera (Cantabrie) et surtout El Pindal (Asturies), font comprendre que la coïncidence des limites géographiques et culturelles des territoires n'est pas absolue. La présence de claviformes sur la côte cantabrique témoigne d'une exportation culturelle inattendue pour un symbole graphique normalement immobile sur sa paroi souterraine, à l'écart des contacts.

Les chasseurs paléolithiques ont rarement vécu dans les grottes. Mais l'immense tunnel du Mas-d'Azil, creusé par l'Arise sur une hauteur de 70 mètres pour une largeur de 80 mètres et près de 450 mètres de longueur (ci-dessus), abrita des centaines de Magdaléniens qui y laissèrent de multiples témoignages de leur présence.

Si l'on compare les dispositifs pariétaux de Pindal et de Niaux où le signe intervient, on constate que, dans l'un et l'autre cas, les claviformes tracés en rouge selon le même modèle graphique sont liés par étroite juxtaposition à des signes ponctués rouges plus ou moins complexes. Une liaison thématique aussi clairement définie et plusieurs fois répétée entre deux lieux véritablement distants ne peut résulter d'une simple convergence. Bien au contraire, elle repose sur la décision manifeste de reproduire le même message codé symbolique. Le claviforme, relativement abondant en Ariège magdalénien, marque un territoire culturel. Présent en Espagne

La grotte de Pindal, en Asturies (ci-dessous), présente la liaison thématique originale, en rouge, des grottes à claviformes de l'Ariège : un grand signe ponctué juxtaposé à six claviformes, l'ensemble placé sous un bison marqué d'un signe angulaire sur le flanc (en haut à gauche de l'image), face à une tête de cheval (en haut à droite de l'image).

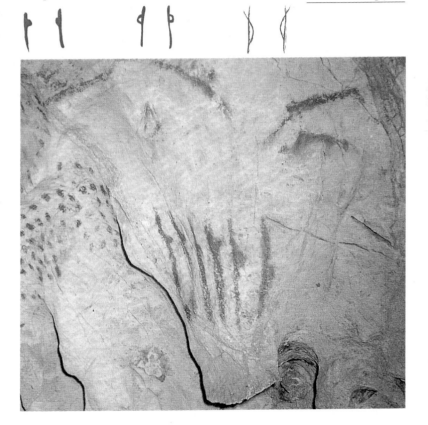

Dans l'art magdalénien, le groupement de représentations humaines n'est pas rare. Les silhouettes féminines de Gönnersdorf (à gauche) répondent à une convention stylistique d'extrême

cantabrique, il témoigne de la mobilité culturelle magdalénienne sans pour autant rassembler sous une bannière ethnique commune les Magdaléniens des Cantabres et ceux des Pyrénées. En effet, les dispositifs pariétaux des grottes de chaque région, les industries et les habitats, avec leurs faunes chassées propres, indiquent qu'il s'agit de peuples différents ayant chacun développé ses cultures, délimité ses territoires.

Du réalisme maladroit à l'idéogramme : vers l'abstraction

Les Magdaléniens des campements voisins de Gönnersdorf et d'Andernach sur les bords du Rhin (Rhénanie), qu'ils occupaient voici environ 12 000 ans, ont gravé 320 profils féminins sur des plaques de schiste et sculpté deux douzaines de figurines en ivoire et bois de renne et quelques autres en schiste. Des variations graphiques sont décelables, dans la foule des silhouettes, sans jamais affecter toutefois

schématisation du profil, commune à plusieurs sites, de l'Espagne cantabrique à l'Allemagne orientale.

la désincarnation graphique de l'évocation féminine : ici, l'esquisse de jambes ou de bras dissociés du profil par de simples incisions judicieusement tracées; là, des raies parallèles sur le corps ajoutant un effet géométrique à la formulation abstraite des silhouettes. Le contraste est absolu entre l'idéogramme de la femme

L'art mobilier magdalénien foisonne de formes et de vie; les représentations animales y occupent une place prépondérante, particulièrement sur les supports osseux. Souvent des signes les accompagnent, lien symbolique partagé avec les ensembles pariétaux des grottes. Les têtes de chevaux découpées dans des os (ci-contre) constituent une thématique de forme stéréotypée, principalement dans les Pyrénées. Au contraire, les gravures sur os ou sur bois de cervidés parcourent un vaste champ symbolique, soit par les options thématiques, soit par leurs associations. Sur la pièce de la grotte de La Vache (ci-dessus), le naturalisme des félins, côtoyant des zigzags, atteint des sommets graphiques.

conçu par les chasseurs magdaléniens et les images hyperréalistes, pourrait-on dire, d'animaux qu'eux-mêmes ont simultanément gravées par dizaines également sur plaquettes schisteuses.

Or, l'idéogramme de la femme, présent dans les deux campements rhénans, et dans quantité d'autres sites à travers l'Europe de la fin du Magdalénien, ne procède nullement d'une dégénérescence ou d'une évolution quelconque de silhouettes féminines. Avant l'apparition tardive de l'idéogramme, les Magdaléniens ont représenté des humains dans des grottes, sur des dalles et blocs calcaires et sur des objets. Aucun lien graphique propre ne réunit les quelques dizaines de représentations humaines qu'ils ont gravées ou dessinées (exceptionnellement sculptées). Elles n'ont pas répondu à des règles communes de figuration. Elles offrent au contraire une diversité infiniment plus large que celle des représentations animales. Le seul aspect général que revêtent les figurations humaines des Magdaléniens vient de leur manque de réalisme, confinant parfois à la caricature ou jouant graphiquement sur le registre du bestial. Autrement dit, pour les représentations humaines, l'imaginaire des chasseurs magdaléniens et plus généralement de l'ensemble des Préhistoriques à travers

La statuaire humaine des Magdaléniens est peu abondante et totalement hétérogène. La «Vénus impudique» en ivoire de Laugerie-Basse (à gauche) ne présente aucune affinité techno-stylistique avec la

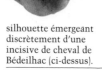

silhouette émergeant discrètement d'une incisive de cheval de Bédeilhac (ci-dessus).

le monde, fit de l'image humaine une sorte d'écran symbolique au réel, au vivant.

Au-delà des diversités culturelles : l'image idéalisée de la femme

L'idéogramme inventé par des Magdaléniens à la fin de leur parcours culturel en Europe est une nouvelle alternative de la représentation graphique humaine par rapport à l'iconographie qui l'a précédé mais dont il ne dérive pas du tout. Il est donc bien le fruit d'une abstraction pure. Cependant l'idéogramme de la femme restait identifiable; en cela il se distinguait des signes géométriques que les Magdaléniens avaient créés à profusion.

En fait, les signes sont beaucoup plus nombreux et variés; leur formulation géométrique exprime un processus actif d'abstraction dont l'image de la femme a bénéficié. La valeur figurative de l'idéogramme féminin libère le pouvoir symbolique de l'idée, plus indépendant des styles et des manières locales. Il est devenu un vecteur parfait de l'image idéalisée de la femme. Sa diffusion aboutit à créer dans un immense espace un concept unitaire, symbolique et finalement complémentaire des diversités culturelles, fussent les plus traditionnelles comme celles des représentations pariétales sur le territoire périgourdin.

Les représentations humaines pariétales dans les grottes magdaléniennes sont aussi polymorphes que les représentations mobilières. Une partie d'entre elles ont des aspects grotesques, bestiaux. Une certaine ambiguïté avec les figures animales semble recherchée et trouve un redoublement dans les masques ou visages insolites. Certaines silhouettes fantomatiques n'ont d'humain que la verticalité. Les visages et les têtes de profil, relativement fréquents, ne sont pratiquement jamais réalistes : il n'existe pas de portraits magdaléniens! C'est pourquoi les deux corps féminins gravés et sculptés en léger relief dans la petite grotte de la Magdeleine sont exceptionnels (ci-dessous). La pose de la femme figurée ici est étrangement lascive, avec sa tête mollement reposée sur la main, le bras gauche plié, le buste raide, les jambes ployées et légèrement écartées laissant entrevoir un triangle pubien finement gravé. La sensualité suggérée par cette évocation féminine est aussi remarquable qu'unique pour l'art paléolithique, pourtant singulièrement marqué par la sexualité et la figuration du nu.

Bifaces, racloirs, débitages, ateliers, cabanes, foyers, pavages... la litanie sans fin de vestiges heureusement conservés par le temps célèbre les cultures matérielles des hommes préhistoriques comme s'ils n'avaient eu d'autres activités que pratiques et laborieuses. Ici, on grattait, débitait le silex, faisait du feu; là, on chassait, dépeçait les gibiers, ramassait des branchages, cueillait des baies. Mais, que dire des autres activités, celles que l'on pourrait appeler ludiques, ou amoureuses ou symboliques?

CHAPITRE IV
LE CORPS, CENTRE DE L'UNIVERS

L'image de la femme n'a cessé d'être au cœur de l'art depuis plus de 20-25 000 ans comme le rappelle superbement la figurine en calcaire de Willendorf (Autriche).

Anthropologie naïve, anthropologie savante

D'entrée, l'image des Préhistoriques, sans cesse confrontés à la nécessité d'agir à chaque instant pour survivre à des conditions dangereuses ou précaires, a enflammé l'esprit des préhistoriens et hante encore obscurément les civilisés que nous sommes, convaincus que le progrès nous a fait échapper à ce drame du quotidien primitif. On comprend la joie non dissimulée d'un de ces grands pionniers de la recherche, Edouard Piette, quand il eut en main le délicieux visage d'ivoire de la Vénus de Brassempouy (Landes) : «Il semble que ce fut l'amour qui incita le premier sculpteur à ciseler l'ivoire pour représenter la femme aimée» (1894). La beauté de la figurine transformait ces brutes affairées en artistes consommés, rêvant auprès de feux bienfaisants par ces nuits glaciales des temps passés. L'émotion esthétique que provoquent la contemplation des merveilleuses peintures de Lascaux en Dordogne et la découverte des dessins si admirablement maîtrisés de la grotte Chauvet en Ardèche ne nous rapprochent-elles pas sans cesse de cette vision naïve des hommes de la Préhistoire, partagés à notre image entre le matériel, quotidien et souffreteux, et le spirituel hors du temps?

A la tête sphérique dissimulée de la femme de Willendorf s'oppose le visage angélique de la Vénus de Brassempouy, sa contemporaine appartenant à la culture gravettienne du Sud-Ouest français. La coiffure est tailladée dans l'ivoire en un quadrillage régulier. Le regard presque parlant lui donne une profondeur expressive. L'absence de bouche, générale pour la statuaire gravettienne, étonne pour cet admirable visage, peut-être un portrait; un des deux seuls connus de femmes paléolithiques, avec celui d'une statuette en ivoire d'Avdeevo, à l'autre bout du territoire gravettien, en Ukraine.

Une lente ascension

Il est bien clair que, dans cette dualité de la matière et de l'esprit, la première l'emporte sur le second face au temps et à l'oubli qui pèsent lourdement sur la Préhistoire de l'humanité, particulièrement la plus ancienne. S'il est vrai que les mots et les idées s'envolent, il n'en demeure pas moins vrai, d'un point de vue archéologique, que les objets de l'idée, ceux venus de l'intérieur de l'être, ces objets qu'il faut appeler par leur nom, les symboles, n'existent que depuis peu de temps au regard de la longue durée de l'évolution humaine, depuis les premières choses créées par l'accord conscient de la main et du cerveau, les outils. Avant une centaine de milliers d'années, avant donc le développement rayonnant de *Sapiens*, il n'existe pratiquement pas de traces, identifiables, d'une activité systématique d'ordre symbolique.

Des fossiles, des roches aux formes bizarres, des cailloux de couleurs vives ou insolites, ramassés par des Moustériens de l'Ancien Monde témoignent, modestement, d'un comportement de curiosité qui n'est pas dénué d'une portée symbolique dans la

L'éclatante beauté des peintures et des dessins de la grotte Chauvet ne saurait éclipser la qualité graphique des dizaines de gravures et de dessins tracés au doigt ou avec un instrument à bout arrondi dans le revêtement tendre de certaines parois plafonnantes. Dans le bestiaire gravé (ici, mammouth et cheval) se glissent des signes. Seule l'étude approfondie du dispositif pariétal de la grotte permettra de savoir s'il existe des différences thématiques et stylistiques significatives entre l'ensemble pictural et l'ensemble gravé, qui ne paraissent pas homogènes au premier abord.

mesure où il ne relève précisément pas d'une activité de fabrication ou ne débouche pas sur une fonction utilitaire.

La symbolique de la mort

Les plus anciennes sépultures connues ont été mises au jour dans des porches de grottes du Mont Carmel en Israël et datées entre – 80 000 et – 100 000 ans. Ces hommes de Palestine (*Sapiens*) avaient été déposés dans des fosses intentionnellement creusées, rebouchées ensuite. L'acte d'inhumer fut ainsi totalement accompli dès ses premières apparitions, relevant d'un comportement sûrement complexe, incontestablement symbolique. Les sépultures manifestaient concrètement la création de liens significatifs, sans nul doute divers au cours de la Préhistoire, entre vivants et morts, rassemblés dans les habitats ou à proximité immédiate.

Longtemps, les sépultures moustériennes restèrent frustes, élémentaires. L'utilisation d'ocre rouge pour parer le fond ou les parois de la fosse ou le corps du défunt n'apparaît que tardivement vers la fin des temps moustériens et presque déjà avec l'avènement des *Sapiens* modernes dans le monde périméditerranéen. Les aménagements plus élaborés des tombes par adjonction de dalles

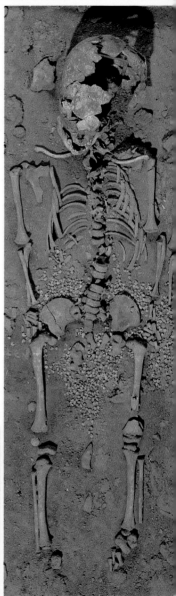

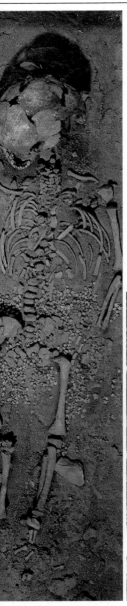

ou de plaquettes, les dépôts d'offrandes à côté du mort ou sur lui ne devinrent fréquents qu'avec Cro-Magnon. La maturation de la symbolique de la mort se fit lentement au cours de l'évolution des *Sapiens*. Elle plaçait enfin le corps au centre des préoccupations métaphysiques, au cœur des nouveaux systèmes de représentations.

Quand les sépultures parlent

Les nombreuses sépultures de Pavloviens (entre – 30 000 et – 25 000 ans environ) en Moravie tchèque contenaient de riches dépôts funéraires, sans nul doute amassés au cours

L'évolution des sépultures reflète le cheminement dans lequel la montée du pouvoir symbolique collectif s'intensifie. Des offrandes (ramures, pierres, outils, ocre) déposées auprès du défunt inhumé dans une fosse (page de gauche, sépulture de Kébara en Israël), on en vient aux parures du corps lui-même, il y a 40-35 000 ans environ (sépulture des Enfants de Grimaldi au centre et de Barma Grande, en Italie, ci-dessous). L'art naît alors de cette relation rituelle et symbolique avec le corps.

de rituels organisés. Il est vrai que la société pavlovienne apparaît très structurée : avec ses immenses agglomérations, comme celles de Dolni Vestonice et Pavlov étendues sur près de 8 kilomètres, faites de

Près de l'homme de Brno II, les Pavloviens déposèrent une poupée articulée (ci-dessous), divers fragments de roches

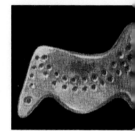

cabanes compartimentées, construites avec des ossements et défenses de mammouths; avec ses instruments aratoires et ses statuettes en terre cuite devançant de tant de millénaires des techniques propres à une partie des Néolithiques dans le monde. La hiérarchisation d'une société si techniquement avancée s'est reflétée dans le traitement des morts ensevelis si l'on en croit les parures et les offrandes qui leur avaient été parfois données pour leur séjour dans l'au-delà. Dans la grande fosse (4 mètres x 2,5 mètres environ) qu'ils avaient creusée dans le sol de leur campement, les chasseurs de Predmosti avaient enterré douze enfants et adolescents avec huit adultes. Curieusement, aucun matériel funéraire ne fut recueilli au cours de la fouille (il est vrai ancienne, 1894), mis à part de rares silex, des os de renards polaires et deux omoplates de mammouth rencontrés à proximité : dans la sépulture collective,

et d'ivoire, des rondelles, plus de 600 dentales et un fantastique trophée : une omoplate et deux défenses de mammouth, un crâne et des côtes tachées d'ocre rouge de rhinocéros laineux, une ramure de renne et des dents de cheval.

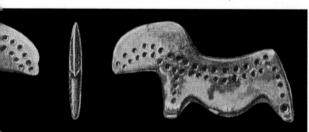

une des plus importantes du Paléolithique supérieur, les morts n'avaient pas bénéficié de soins particuliers, comme s'il s'agissait d'anonymes. L'extraordinaire richesse des offrandes faites à l'homme de Brno II (sépulture anciennement découverte dans la ville même de Brno) est-elle la marque de l'honneur rendu à un chef? Elle singularise en tout cas la sépulture et ceux qui l'ont faite. La tombe était isolée, sans campement proche, fait inhabituel avant l'apparition de nécropoles quelques millénaires avant notre ère.

A l'abondance d'offrandes imprégnées des activités nourricières et symboliques des vivants (coquillages, pierres, ivoire) fut adjointe une pièce étonnante, unique jusqu'à ce jour pour la Préhistoire des grands chasseurs. Une statuette humaine d'ivoire, vraisemblablement masculine, taillée en pièces détachées – troncs, membres, tête – montées et articulées comme une poupée.

Des figurines humaines enterrées

Sculpté ou réel, le corps devient le réceptacle de la symbolique sous ses multiples formes et en fonction de comportements ritualisés. Une poignée de millénaires et des milliers de kilomètres séparent la sépulture de Brno des habitats gravettiens supérieurs, datés vers – 23 000 – 22 000 ans, par exemple Avdeevo en Ukraine. Mais là, on a trouvé des figurines féminines en ivoire enterrées avec

Plusieurs sépultures ont été dégagées dans le campement de chasseurs de mammouths à Soungir (Russie). Parmi elles, il y avait une tombe exceptionnelle (ci-dessus) : deux enfants, l'un de douze-treize ans, l'autre plus jeune d'environ trois ans. Ils furent placés tête-bêche, vêtus et richement parés : un millier de perles cousues, des bracelets, des anneaux aux doigts... A leurs côtés, des poignards, des pointes et des lances. Deux d'entre elles, en ivoire, atteignent des dimensions hors du commun – 1,66 mètre et 2,42 mètres –, fruits d'une véritable prouesse technique. Enfin un cheval sculpté dans l'ivoire de mammouth, décoré de cupules et perforé pour suspension (ci-dessus, à gauche).

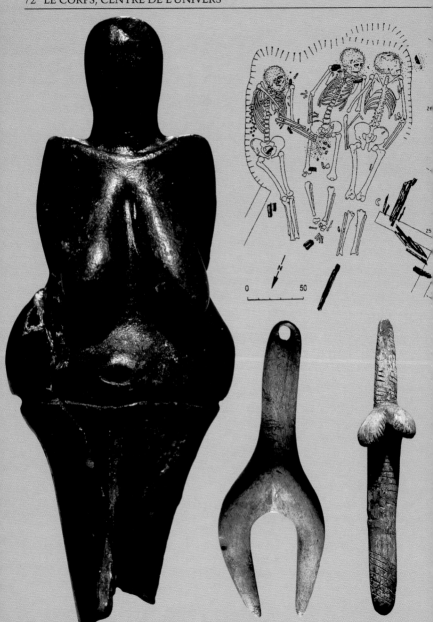

Trois Pavloviens, entre vingt-trois et dix-sept ans, enterrés ensemble, têtes saupoudrées d'ocre et parées de canines de loups et de renards, dans une fosse ocrée de Dolni Vestonice (Moravie), voilà qui est singulier. Or, il s'agit d'une femme et de deux hommes. Atteinte d'un rachitisme et d'une scoliose, elle boitait. Un fragment découpé et brûlé d'os pénien de renne était enfoncé dans sa bouche. Sous son bassin et entre ses cuisses, il y avait une concentration d'ocre : symbolisation d'un accouchement? C'est sur son pubis précisément que repose la main de l'homme placé à sa droite. Un gros pic de bois est fiché dans le bassin de cet «accoucheur», selon le préhistorien Bohuslav Klima. Le crâne de l'autre homme fut enfoncé. Les morceaux de bois résultent du feu mis à la couverture de la tombe lors de l'enterrement. Tant de signes accumulés révèlent des rites funéraires dont la symbolique, peut-être religieuse, croise celle des statuettes et objets de parure souvent empreints de sexualité, tels la Vénus en terre cuite et le bouton en ivoire associant les deux sexes ou encore la pendeloque féminine en ivoire stylisé provenant du site (page de gauche).

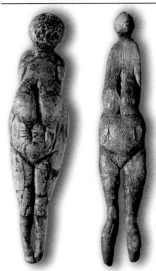

quelques offrandes, silex et
animaux, dans de petites fosses
creusées à leur intention dans
le sol même des immenses huttes
construites avec les ossements
et défenses de mammouths. Pour
la première fois, des représentations
humaines sont traitées comme
de véritables humains.

Le corps magnifié

Certaines des statuettes d'Avdeevo
et d'autres tout à fait comparables
en ivoire et en pierre, trouvées
notamment dans les campements
contemporains de Kostienki, dans la vallée du Don
(Russie), avaient été portées (leur usure en témoigne)
par des vivants. Une perforation creusée à hauteur
des chevilles permettait de les suspendre autour
du cou, tête en bas. Seuls les porteurs pouvaient
les voir à l'endroit, sur leurs poitrines. Plusieurs
de ces statuettes féminines nues, comme toujours
pendant le Paléolithique, étaient elles-mêmes
parées de bracelets, de ceintures, de colliers incisés

Les figurines en
ivoire d'Avdeevo
(ci-dessus) et celles
en pierre et ivoire de
Kostienki (ci-contre)
rayonnent de fraîcheur
et de beauté. Les
ébauches en ivoire
permettent d'apprécier
le travail de l'ivoiriste.

sur leur peau.
Le corps féminin,
une première fois
magnifié par la
sculpture en ronde-
bosse d'un ivoire ou
d'une pierre, le fut une seconde fois
en étant paré comme s'il s'agissait,
à nouveau, d'un être authentiquement
vivant. Enfin l'articulation de symboles centrée
sur le corps s'enrichit une troisième fois par
l'utilisation du corps paré, sculpté comme parure
vivante de l'être réel, homme ou femme on ne sait.
Le corps était au cœur de la symbolique de relation
entre vie et mort aussi bien qu'entre vivants, ce qui a
été si merveilleusement développé par les Pavloviens
et les Epigravettiens d'Europe centrale.

A Kostienki (ci-dessus) et ailleurs, des dizaines d'habitations gravettiennes et épigravettiennes (de 28 à 18 000 ans environ) ont livré un fourmillement de données sur les activités domestiques de leurs habitants, associées à des témoignages de nature symbolique, métaphysique ou religieuse. Les charpentes effondrées faites de défenses et d'ossements de mammouths se mêlent aux restes des carcasses des animaux dépecés, découpés et consommés, aux foyers, aux outils en pierre, os, ivoire, aux objets sculptés, gravés et aux parures.

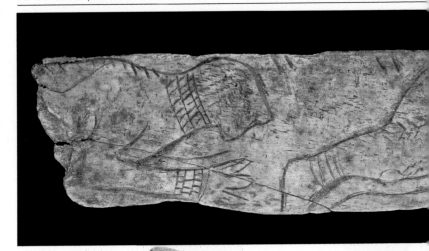

Féminin, masculin

Des chasseurs
aurignaciens aux
ultimes Magdaléniens, de
nombreux signes de sexualité
marquent la représentation du
corps, parallèlement à la parure.
Il est d'ailleurs tentant de penser que
cette double expression fondatrice de
la signification sociale du corps, parure
et sexualité, qui est à l'origine même des
systèmes graphiques paléolithiques, figuratifs et
abstraits, n'a guère cessé de fonctionner jusqu'à nos
jours. Les dessins vulvaires des Aurignaciens de la
Vézère sont les premières affirmations intelligibles
d'une sexualité symbolisée. Pour autant, la
représentation sexuelle est loin d'être équitablement
partagée entre hommes et femmes. Les phallus sont
rares : une gravure nettement figurative sur un bloc
de l'abri Castanet, un phallus également évocateur
sculpté en ronde-bosse de l'abri voisin Blanchard près
de Sergeac, et deux ou trois gravures moins explicites
sur blocs.

Il existe quelques
phallus gravés
sur blocs et sur parois
de grottes. Mais les
représentations les
plus spectaculaires
sont sculptées,
comme ce bâton percé
magdalénien en bois
de renne à double
phallus du vallon
de Gorge d'Enfer
(ci-dessus) et le phallus
aurignacien en ivoire
de l'abri Blanchard
(à droite).

La statuaire gravettienne accentua ce déséquilibre
en faveur de la femme, plus qu'en faveur de sa

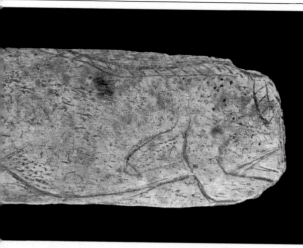

Sur une lame osseuse qu'ils avaient découpée et polie, des Magdaléniens d'Isturitz (Pyrénées-Atlantiques) ont allongé deux personnages; les fouilleurs de ce riche habitat en grotte évoquèrent une «poursuite amoureuse». Il s'agit de deux femmes; le biseautage suivi d'un polissage de la lame à droite a coupé la représentation à hauteur du cou. Le signe barbelé placé sur la cuisse rappelle les deux signes barbelés affectant le flanc d'un des deux bisons gravés se suivant sur le verso de la lame : il crée un lien sémantique entre les deux représentations figuratives, symétriques sur le plan de la composition. On remarque aux chevilles et aux poignets des parures dont la forme ou le dessin est identique à ceux des colliers. La tête bestiale et semble-t-il poilue de la femme relève de la thématique proprement magdalénienne des profils humains bestialisés à l'extrême, gravés ou dessinés sur des parois de grotte.

sexualité, il est vrai. En effet le sillon vulvaire ne fut pas fréquemment incisé et il est exceptionnel de le voir aussi net que sur la fameuse Vénus de Willendorf (Autriche). L'ambivalence sexuelle est aussi caractéristique de bâtons percés magdaléniens, de la façon la plus explicite parfois, comme le montre l'instrument malheureusement fracturé trouvé dans un abri du vallon de Gorge d'Enfer, tout près des abris de Laugerie (Dordogne), en bordure de la Vézère.

La figuration des seins, singulièrement valorisés par les sculpteurs gravettiens, a suffi aux Magdaléniens pour sexuer les nombreux corps qu'ils ont gravés ou dessinés sur les parois de grottes, ou des objets, instruments, galets, plaquettes ou blocs. La figuration du phallus a bénéficié du même pouvoir graphique discriminant, si facile à mettre en place; les Magdaléniens en ont abondamment usé.

La Vénus de Lespugue

Parmi les chefs-d'œuvre de la statuaire préhistorique, la Vénus en ivoire de Lespugue occupe une place exceptionnelle : elle n'est comparable à aucune autre figurine gravettienne de son époque (22 000 ans environ). De sa silhouette élevée (147 mm), plus grande que celle de presque toutes les statuettes paléolithiques, émane une suave sensation d'harmonie. L'emboîtement des volumes anatomiques, organisé sur plusieurs plans de symétrie, a la modernité d'une composition cubiste. La silhouette est symétrique sur l'axe vertical; mais en profil, le massif fessier équilibre le volume des seins globuleux dissimulant en partie la paroi abdominale. Par la magie d'un simple renversement de la statuette, le «pagne» tressé sous les fesses devient chevelure et les pieds sculptés en moignon ogival deviennent tête et nuque. Le galbe discret des épaules dégageant à peine les bras, l'inclinaison presque recueillie de la tête dissimulée fait contraste avec la féminité hypertrophiée en place centrale. On a retrouvé la statuette, plantée dans le sol, vers le fond de la petite grotte de Lespugue, à l'écart du foyer.

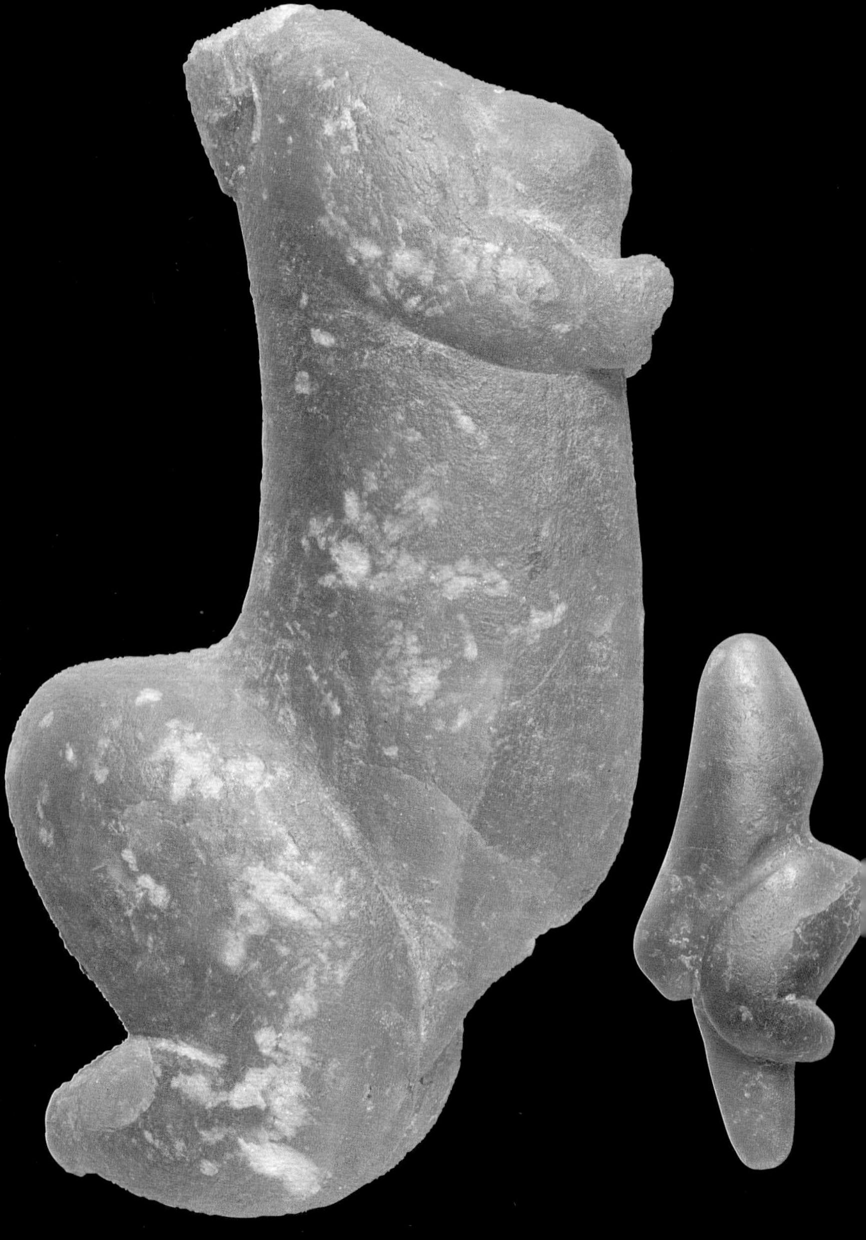

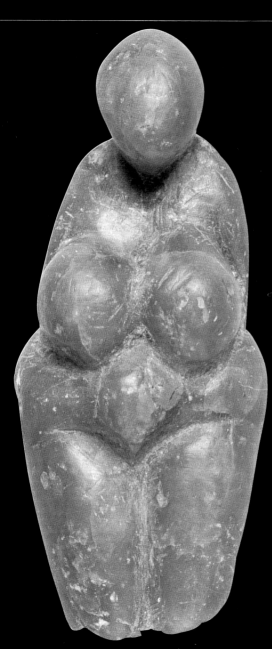

L'image féminine gravettienne

La statuaire gravettienne compte quelques dizaines de figurines à travers toute l'Europe. L'image féminine, traitée en ronde-bosse, nue mais dont le sexe est rarement marqué, parfois parée, traverse le temps et l'espace comme un concept unificateur original. A cette homogénéité, d'origine peut-être mythologique, correspond une diversité morphologique mais avec des séries uniformes dans certains sites. Ainsi, les Vénus en calcite ambrée de Sireuil en Dordogne (page de gauche), haute de 90 mm et celle (80 mm) de l'abri tout proche du Facteur à Tursac (au centre) sont très proches. Leur étroite parenté technique et stylistique les différencie de toutes les autres, telles la Vénus à formes rebondies (ci-contre) en stéatite jaune de Grimaldi (47 mm, mais les jambes sont brisées) ou bien sûr la Vénus de Lespugue, ou encore les Vénus longilignes d'Avdeevo. Ces importantes variations stylistiques tendraient à montrer que l'idée de la femme célébrée en ronde-bosse a plus circulé que les œuvres elles-mêmes.

L'art pariétal paléolithique se fond dans l'architecture des grottes. Il en épouse les divisions naturelles et subit les fantaisies rocheuses de la nature souterraine. Il s'intègre dans ses parcours tortueux, les passages difficiles ou dangereux. Baigné dans l'obscurité irrémédiable, il y prend sens, inaccessible au profane.

CHAPITRE V

L'ART PALÉOLITHIQUE, MIROIR DU SENS

Ces séries concentriques de cupules d'une plaque en ivoire de Malta, en Sibérie (à droite), et ce bouquetin dessiné dans la grotte de Cougnac, dans le Lot (à gauche), donnent la mesure de l'art paléolithique partagé entre le figuratif animalier et l'abstrait numérique.

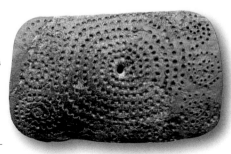

Un art qui se développe là où l'on ne peut durablement vivre

L'art pariétal n'est pas placé dans la nature parcourue par les hommes et fouillée par leurs regards. Il est d'obscurité totale, soumis à l'artifice de la lumière pour être vu; il impose une descente sous terre, un oubli momentané du monde des vivants. Il se fait oublier dans la solitude des profondeurs.

Discret, caché, secret, l'art des cavernes n'a existé qu'en Europe occidentale paléolithique. Quelque 280 sites, à peine quelques milliers de représentations, dues sans doute à des Aurignaciens pour les plus anciennes (grotte Chauvet), sûrement à des Gravettiens dès – 27 000 – 28 000 ans, puis à des Solutréens et enfin à des Magdaléniens, jusque vers – 10 000 ans. Contrairement à l'art rupestre de plein air, visible et encore partiellement connu sur les cinq continents, l'art pariétal souterrain est coupé du réel; il se localise là où l'on ne peut durablement vivre. C'est peut-être pour cela qu'il est exclusivement symbolique, figuratif et abstrait à la fois, mais n'illustre pas la vie.

Figuratif mais pas narratif

Des centaines de figurations humaines et des milliers d'animaux coexistent sur les parois des grottes paléolithiques. Le plus souvent, les représentations sont assemblées en panneaux, c'est-à-dire en groupements dont les limites ne sont pas matérialisées mais fréquemment suggérées par la morphologie naturelle des parois, des voûtes, des plafonds, exceptionnellement des sols. Beaucoup sont aussi dispersées, dans les galeries longues et sinueuses d'immenses cavités, telles Niaux (Ariège) où des peintures se trouvent à plus de 2 kilomètres de l'entrée, ou Rouffignac (Dordogne) dont le réseau ramifié de galeries, long d'une dizaine de kilomètres, fut entièrement

La lampe en grès rosé (ci-dessous), trouvée dans le puits de Lascaux, est marquée d'un signe composé, que l'on peut retrouver peint ou gravé en plusieurs endroits de la grotte. En haut, à droite, peintures de la grotte de Combe d'Arc, découverte par Henry Chauvet, en 1994.

investi par les artistes magdaléniens.

Superposées ou juxtaposées, les représentations animales et humaines n'entretiennent entre elles aucune relation explicite. Cet art des chasseurs ne représente ni la chasse, ni le chasseur, ni l'animal chassé. Les protagonistes sont proches,

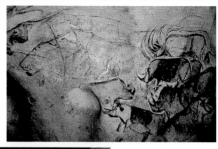

A Lascaux, la composition picturale revêt des proportions monumentales. La symétrie préside à la distribution des animaux sur le long bandeau pariétal, en demi-cercle, de la Rotonde ou d'une paroi à l'autre en passant par le plafond. Les Magdaléniens ont joué aussi sur les contrastes : petit cheval/grand aurochs, teinte en à-plat/contour au trait, rouge/noir… Sur cette vue partielle de peintures de la Rotonde (ci-contre) sont rassemblés des thèmes majeurs de la grotte, par emboîtement (le cheval placé sur l'aurochs) et par étroite juxtaposition (le signe en tirets contre le chanfrein du bovin).

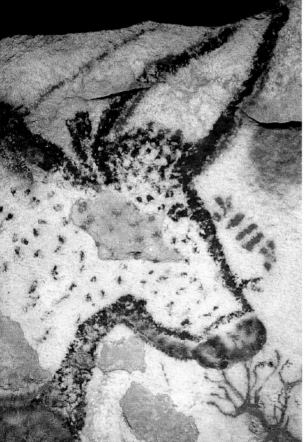

se touchent mais ne se voient pas. Animaux et humains s'ignorent complètement sur les parois, comme s'ils flottaient dans l'espace, dans un univers purement imaginaire.

Dans ces arches de Noé, les animaux s'agglutinent sans peur aucune ni la moindre agressivité. Bisons, chevaux, mammouths, cerfs, rennes... petits ou

Aucun des profils magdaléniens n'offre la qualité figurative de cette tête d'homme gravé sur un bloc calcaire de la grotte de la Marche.

grands au gré de leurs auteurs et en dépit de toute vraisemblance naturelle voisinent en bonne entente avec des félins, des ours, des oiseaux ou des poissons. L'irréalisme manifeste de ces tableaux paradisiaques, sans jamais le moindre paysage, ni arbre, ni rivière, ni horizon, enveloppe aussi et tout à fait les figurations humaines. Pas un sentiment, pas un acte ne se lisent dans leurs proximités occasionnelles. A de très rares exceptions près, telle la «Vénus à la corne» sculptée en bas-relief par un Gravettien de l'abri Laussel (Dordogne), les mains des humains paléolithiques sont vides, leurs regards aussi.

Les représentations humaines : figuratives mais subjectives

L'étrangeté des ensembles figuratifs pariétaux, faits seulement d'animaux et d'humains, à l'exclusion donc de tout dessin d'objets, d'armes, d'outils, se lit également sur les visages et les silhouettes des humains qui, en cela, se distinguent totalement des représentations animales. Un visage ou deux pourrait au mieux passer pour réaliste; il le serait en tout cas bien plus que les têtes de profil ou les visages de face à l'apparence bestiale.

Sortes de pantins désarticulés ou simples contours fantomatiques, les silhouettes ne sont pas davantage vraisemblables. Les corps sont généralement sans volumes anatomiques, les membres mal articulés ou disproportionnés. Les représentations humaines semblent échapper, délibérément, à la recherche d'objectivité visuelle qui caractérise les représentations animales, dès leurs premières apparitions il y a plus de 30 000 ans.

Une confrontation homme/ours est illustrée de manière étrange sur les deux faces de cette rondelle osseuse découpée et perforée, trouvée avec tant d'autres pièces d'art mobilier dans la grotte du Mas-d'Azil. Seule la patte menaçante du plantigrade, familier des grottes, est visible sur le fragment (ci-dessous, à droite). L'homme gravé de profil a une tête bestiale; son corps est velu. L'autre humain (ci-dessous, à gauche), quelque peu irréel et de sexe indéterminé, semble vu de face, jambes écartées.

Les représentations animales : figuratives et naturalistes

L'art animalier paléolithique est en effet naturaliste dans la mesure où les représentations animales, habillées du style propre à chaque culture, offrent une qualité figurative et descriptive dominante, portée à son apogée par les Magdaléniens. On se prend à admirer le soin du détail : ici des poils dans l'oreille d'un bison, son œil sourcillé, là une robe modelée de cheval, une nageoire adipeuse parfaitement localisée désignant le saumon ou encore un clapet anal soulignant l'adaptation au froid des mammouths, le larmier excité de cervidés, les cornes puissamment annelées de grands bouquetins mâles. Ce naturalisme figuratif des animaux paléolithiques, rarement égalé en intensité et beauté dans d'autres cultures iconographiques de la Préhistoire, n'a pas empêché des libertés stylistiques de s'exprimer. Les têtes des immenses aurochs de Lascaux sont trop petites, les bosses des bisons de Font-de-Gaume trop hautes, les cornes des rhinocéros de Chauvet (Ardèche) démesurées... autant de traits de génie des peintres et dessinateurs qui autorisent à

reconnaître une dimension esthétique à leurs œuvres. La fidélité de l'imitation de la nature fut associée à la recherche de l'effet visuel, artistique en quelque sorte, malgré l'anachronisme attaché à ce concept au regard des représentations préhistoriques.

Naturalisme de l'animal, naturalisme de son attitude assez souvent. L'affrontement de bouquetins évoque leurs rudes combats; la file de mammouths, le déplacement majestueux et paisible de leurs troupeaux; les membres repliés sur le côté de bisons, leurs roulades dans la poussière; le cheval se redressant derrière un autre, une parade. Ces véritables notations éthologiques, pas surprenantes de la part de chasseurs, ne sont pas pour autant des reproductions du réel. Elles sont simplement et brièvement allusives et se fondent dans la

Le bestiaire figuré dans les grottes paléolithiques (ci-dessous et page de droite au centre, grotte de Lascaux) fait une place prépondérante aux mammifères et parmi eux aux grands herbivores grégaires. En effet, ces animaux sont faciles à observer et à chasser. De fait, leurs vestiges osseux surabondent, dans les cuisines paléolithiques, par rapport aux restes de carnivores, chassés pour leurs peaux et leurs crocs.

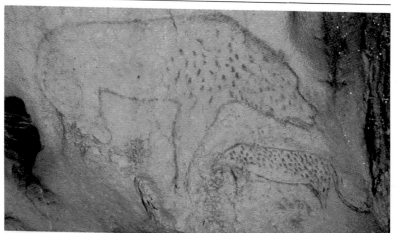

Il existe un net décalage quantitatif entre le bestiaire figuré et la faune chassée. Ainsi, les rennes, plus chassés que les chevaux et les bisons pendant la plus grande partie du Paléolithique supérieur en France, sont peu représentés sur les parois souterraines. La grotte Chauvet (ci-dessus), avec ses ours et ses félins, offre une thématique originale pour l'art pariétal, mais comparable à celle de quelques ensembles mobiliers aurignaciens (ceux de Vogelherd) ou gravettiens (ceux de Dolni Vestonice). Le saumon de Gorge d'Enfer (ci-contre), peut-être gravettien, fut gravé et sculpté en léger relief sur le plafond bas d'un petit abri.

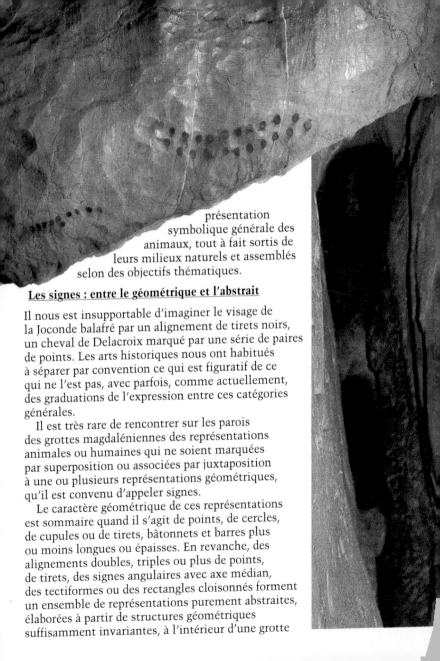

présentation
symbolique générale des
animaux, tout à fait sortis de
leurs milieux naturels et assemblés
selon des objectifs thématiques.

Les signes : entre le géométrique et l'abstrait

Il nous est insupportable d'imaginer le visage de
la Joconde balafré par un alignement de tirets noirs,
un cheval de Delacroix marqué par une série de paires
de points. Les arts historiques nous ont habitués
à séparer par convention ce qui est figuratif de ce
qui ne l'est pas, avec parfois, comme actuellement,
des graduations de l'expression entre ces catégories
générales.

Il est très rare de rencontrer sur les parois
des grottes magdaléniennes des représentations
animales ou humaines qui ne soient marquées
par superposition ou associées par juxtaposition
à une ou plusieurs représentations géométriques,
qu'il est convenu d'appeler signes.

Le caractère géométrique de ces représentations
est sommaire quand il s'agit de points, de cercles,
de cupules ou de tirets, bâtonnets et barres plus
ou moins longues ou épaisses. En revanche, des
alignements doubles, triples ou plus de points,
de tirets, des signes angulaires avec axe médian,
des tectiformes ou des rectangles cloisonnés forment
un ensemble de représentations purement abstraites,
élaborées à partir de structures géométriques
suffisamment invariantes, à l'intérieur d'une grotte

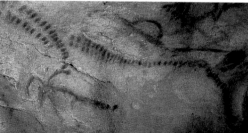

ou d'un site à un ou plusieurs autres, pour pouvoir être identifiées comme des modèles thématiques.

Les représentations géométriques existent dans presque toute l'iconographie paléolithique et dans beaucoup d'autres cultures préhistoriques, en partie contemporaines et plus récentes, partout dans le monde. Les animaux sculptés en ivoire du Vogelherd portent sur leurs flancs des croix, des tirets, des points-cupules : abstraction formelle et forme figurative naturaliste sont donc étroitement liées dès leurs plus anciennes apparitions. Points, cupules, alignés ou non, tirets et autres tracés linéaires plus ou moins complexes sont fréquents dans les ensembles gravettiens et magdaléniens, mobiliers et pariétaux. Ils existent aussi, mais en nombres

Dans les grottes, les représentations ne recouvrent pas toutes les parois disponibles. Certaines particularités topographiques des grottes et morphologiques des parois ont souvent joué un rôle d'attraction de figures. C'est le cas d'alcôves comme celle de la grotte du Portel (ci-dessus) où se concentrent de grands signes dont des claviformes à boucle et des animaux noirs. Dans les galeries spacieuses de Niaux (page de gauche), à plus d'un kilomètre de l'entrée, des signes ponctués sont isolés sur une voûte en rideau au-dessus du cheminement. C'est, à l'inverse, une faille haute et impénétrable de la grotte de la Pasiega (au centre) qui a recueilli un maximum de grands signes complexes, dont des rectangulaires cloisonnés.

plus réduits, dans les grottes solutréennes où commencent à apparaître des signes complexes, comme les «aviformes» (en forme d'oiseaux aux ailes déployées). Chez les Magdaléniens, les signes sont décuplés. Ils deviennent dès lors des sortes d'emblèmes culturels.

Capacités conceptuelles et fonctions de codage

La facilité d'abstraction investie dans ces idéogrammes paléolithiques révèle à la fois les capacités conceptuelles et sociales des chasseurs paléolithiques et leurs aptitudes au codage graphique.

Des systèmes de numération transparaissent dans la multitude de séquences de tirets incisés ou points-cupules imprimés sur des os, des plaquettes lithiques, des parures ou des instruments et armes de chasse. Il s'agit le plus souvent de courtes séries placées en alignement, comme si de petites quantités séparément dénombrables s'ajoutaient les unes aux autres. Il se trouve parfois des alignements plus complexes serpentant sur la totalité de la surface disponible de l'objet et prenant alors une tournure décorative. C'est en vain que certains ont voulu voir dans ces séquences rythmées de petites unités graphiques incisées ou imprimées des décomptes précis de cycles naturels ou physiologiques. Les interprétations trébuchent sur les nombres exacts, pas sur l'apparence de séries numériques que révèlent ces séquences dont les plus anciennes sont aurignaciennes. Dans les grottes, l'absence de cadrage serré propre aux objets rend

De l'utilisation de volumes suggestifs à la mise en valeur du grain rocheux, l'intégration du support est au cœur de la création pariétale.

moins perceptible ce phénomène de numération mais il est vraisemblable qu'il se manifeste aussi à travers les répétitions de paires de points ou de tirets alignés.

Messages codés et représentations animales

L'abstraction géométrique et symbolique des idéogrammes que sont les signes paléolithiques dans les grottes et sur les objets fait des ensembles de représentations, signes abstraits et figurations animales, des messages codés. Les signes établissent entre eux des relations symboliques quelquefois

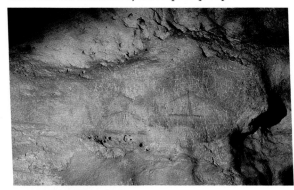

très complexes, sur le panneau du Carrefour de la grotte de Niaux par exemple. Ils ont aussi des liens étroits avec les animaux, ainsi des tectiformes associés aux mammouths à Bernifal, aux bisons à Font-de-Gaume. Dans les panneaux effroyablement enchevêtrés de 318 gravures animales et de 620 signes du «Sanctuaire» magdalénien des Trois-Frères, les onze signes en zigzag sont toujours associés aux bisons. Dans le Salon noir de Niaux, la dizaine

D'innombrables reliefs et volumes rocheux dans les grottes suscitent l'imaginaire. Les Paléolithiques ont plutôt rarement, mais brillamment, répondu à cet appel naturel à la figuration. A Pech-Merle (page de gauche), la découpe d'une paroi saillante dans une vaste salle dessine la tête, l'encolure et le poitrail d'un cheval. Dans cette image rocheuse, des Gravettiens probablement, placèrent un cheval. De grosses ponctuations et des mains négatives (invisibles ici) cernent et couvrent l'animal. La symbiose paroi-animal-signe est totale; elle l'est tout autant pour le grand bison rouge de Font-de-Gaume (photo et relevé ci-contre). Les volumes pariétaux donnent la tête, la bosse et le poitrail démesurés; la peinture rouge figure le corps, l'épaule. Sur le flanc, des signes tectiformes synthétisent les principales variations morphologiques de ce signe emblématique de quelques grottes.

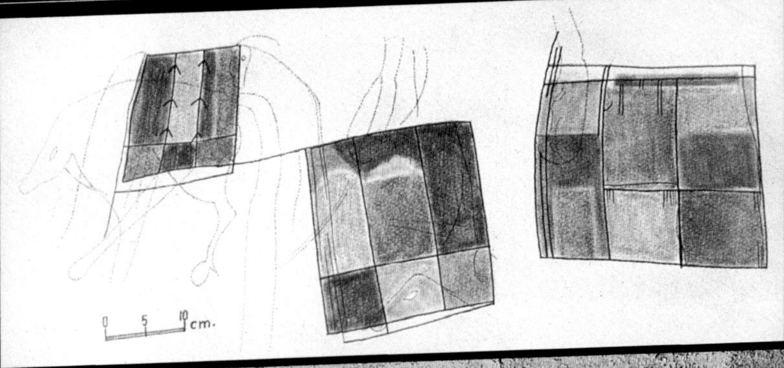
0 5 10 cm.

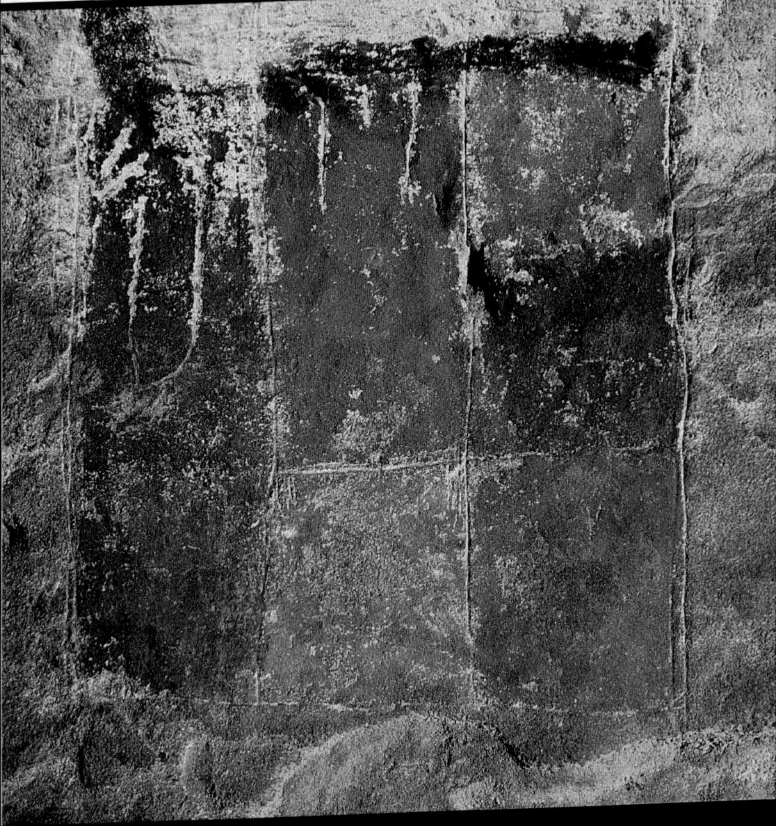

Les «damiers» ou «blasons» de Lascaux (page de gauche) font partie des signes paléolithiques les plus élaborés. L'emploi de plusieurs couleurs est pratiquement unique pour des signes. A Lascaux, la palette des peintres est savante et la polychromie est essentielle à la composition du dispositif pariétal de la Rotonde et du Diverticule axial. Il est curieux qu'elle se retrouve comme synthétisée dans les damiers et prise dans une structure géométrique d'autant plus nette qu'elle est délimitée par des incisions fines mais fermes. Cette structure gravée se retrouve une quarantaine de fois dans Lascaux et quelquefois dans la grotte du Gabillou en Dordogne.

Comme le damier et le quadrangulaire cloisonné gravé, le signe construit en cercles échancrés est spécifique de la grotte de Roucadour dans le Lot (ci-contre) où il est gravé une trentaine de fois; mais il se retrouve sous des formes comparables au Pech-Merle dans le Lot et en région cantabrique. Il existe aussi des motifs singuliers sur support mobile comme l'atteste le galet de Laugerie-Haute, gravé par des Gravettiens (ci-contre, en haut).

de signes curvilignes affectent la queue de cet animal, tandis que ses flancs portent la quasi-totalité des vingt-cinq signes angulaires dessinés dans la vaste salle. De telles relations spatiales répétitives entre certains thèmes abstraits et certains animaux indiquent clairement que les uns et les autres sont les éléments symboliques de messages construits et codés, selon les normes du groupe dont ils émanent. Les animaux et les humains sont non seulement coupés du réel par leur formulation imaginaire sur les parois, mais encore totalement insérés dans la trame abstraite des messages codés au moyen des signes.

Loin d'être le résultat d'une accumulation aléatoire de figures exécutées par magie, sorcellerie, glorification, l'art pariétal apparaît donc fondamentalement structuré en associations thématiques. L'art des grottes est construit, monumental.

Généralement, signes, animaux, et parfois figurations humaines, sont associés sur les panneaux ou dans les salles. Les représentations sont rarement groupées par thèmes. Peu de panneaux sont constitués exclusivement de signes ou de groupes d'animaux comme le couple extraordinaire de bisons modelés en argile par des Magdaléniens au fond de la caverne du Tuc d'Audoubert (ci-dessous).

La thématique animale

L'art pariétal dans des abris sous roche calcaire est tout autant construit. Mais peu d'abris ont été ornés ou ont conservé des représentations paléolithiques. Il s'agit alors de sculptures en bas relief souvent spectaculaires ainsi qu'en témoignent les frises magdaléniennes du Cap Blanc (Dordogne) ou d'Angles-sur-l'Anglin (Vienne). Dans ces abris baignés par la lumière naturelle, comme dans des entrées de grottes où des Paléolithiques œuvrèrent, par exemple la Lluera (Asturies), Venta de La Perra (Pays basque, Espagne) ou la Chaire à Calvin (Charente), les représentations animales sont omniprésentes, majestueusement disposées en file quand l'espace pariétal disponible s'y prêtait. Hormis des tracés élémentaires épars, mal structurés, pas de signes géométriques ou très peu sur les parois d'ombre ou de pénombre, d'abris et de porches.

Dans les abris sous roche, les animaux dominent largement la thématique figurative tandis que les signes sont secondaires voire rarissimes. Ainsi, dans le grand abri magdalénien d'Angles-sur-l'Anglin, sur plus d'une vingtaine de mètres, se déploie une spectaculaire frise de bisons, chevaux, bouquetins sculptés en relief et gravés alors que les signes sont à peu près inexistants. En revanche, la thématique humaine est illustrée par deux ou trois profils, plus ou moins bestialisés, comme fréquemment dans l'art magdalénien, et par quatre étranges évocations de la femme. Seuls les jambes, les cuisses, le bas-ventre sexué et le ventre sont figurés. Trois femmes sont côte à côte et voisinent avec des bisons; la quatrième, ci-dessus, est placée devant un bouquetin sculpté en demi-relief.

L'art rupestre, un art de lumière

Aux espaces clos des grottes, aux parois plutôt linéaires des abris faisant comme des murs, s'oppose l'art rupestre (rocher en latin), baigné de lumière, ouvert à tous les points de vue. Les rochers gravés paléolithiques sont eux aussi dominés par l'iconographie animale, qu'il s'agisse de panneaux composés de fines gravures incisées comme le Rocher de Fornols-Haut (Pyrénées-Orientales) ou de représentations piquetées ou plus largement incisées telles qu'on en retrouve dispersées dans les trois grandes concentrations paléolithiques de roches actuellement connues : Domingo Garcia et Siega Verde en Espagne, Foz Coâ au Portugal. Il arrive que des signes élémentaires (petites cupules, lignes et tirets) ou simples, des sortes de boucles par exemple à Siega Verde, s'insinuent dans les groupements de figures animales mais jamais de façon spectaculaire, visible.

De toute évidence, l'art rupestre paléolithique est comparable à l'art pariétal contemporain des grottes par son bestiaire et par la même

La découverte des gravures de Foz Coâ, en 1994, a donné à l'art paléolithique la dimension qui semblait lui manquer : l'espace, à l'air libre. De rares sites avaient certes déjà montré qu'il existait des rochers en plein air gravés d'animaux de

absence de référence visuelle à des scènes de la vie des chasseurs. Cependant, il en diffère profondément par la rareté de ses représentations géométriques et humaines. Il ne semble pas répondre au même système de codage centré sur le jeu complexe des liaisons entre animaux (éventuellement des humains) et signes.

Dans les sites rupestres, l'éparpillement des représentations sur des dizaines de rochers, probablement des centaines à Foz Coâ et à Siega Verde, fait penser à une iconographie éclatée en mille morceaux que rien ne relie plus, sinon leur uniformité techno-stylistique et leur thématique animale dominée surtout par les aurochs, les chevaux et les cerfs. A Siega Verde, les rochers schisteux gravés sont au plus près d'une rive de la rivière Agueda, qui trace entre eux un lien naturel étiré sur plus d'un kilomètre; mais les gravures de Foz Coâ sont dispersées dans la multitude de rochers schisteux de la vallée haute et encaissée de la Coâ sur plus de 15 kilomètres.

style paléolithique. Mais l'art rupestre de Foz Coâ a pour lui la monumentalité des grandes concentrations d'art rupestre dans le monde, en Australie ou dans le Tassili par exemple. Le «monument» est la vallée entière (page de gauche), profonde et à flancs fortement inclinés, hérissés de chaos rocheux, à l'infini. Ce sont des schistes, une roche qui offre naturellement des faces planes, quasiment lisses, des sortes de tableaux noirs. Les Paléolithiques y ont incisé vivement, ou piqueté puis souvent poli, des contours d'animaux, principalement des aurochs, bouquetins, chevaux et cerfs (ci-dessus).

Lascaux, l'archétype de la grotte

Lascaux offre une synthèse harmonieuse des
caractères fondamentaux des constructions pariétales :
entrées et fonds, couloirs et galeries, passages bas
et étroits favorisant le déroulé des dispositifs ou
l'ascension des figures des parois sur les voûtes,
des salles enfermant le spectateur dans des volumes
en creux sur les parois desquelles les représentations
s'enchaînent et se répondent les unes aux autres.
Dans les salles, un seul regard panoramique peut
suffire à embrasser les représentations qui y furent
disposées, séparées les unes des autres ou groupées
en panneaux. A l'inverse, les représentations
éparpillées dans des galeries ne sont visibles
qu'au fur et à mesure de la pénétration souterraine.
Les unes requièrent du temps et de la mémoire pour
être symboliquement reliées, les autres se donnent
dans l'instantanéité de la lumière et du regard.
L'architecture des grottes contraint les dispositifs
pariétaux en les orientant de l'entrée au fond,
en offrant des espaces de circulation et d'autres
d'immobilisation temporaire. Sur ce modèle

L e réseau de Lascaux
montre une
remarquable alternance
de salles et de galeries.
Cette architecture
naturelle a
profondément
structuré le dispositif
pariétal : les plus grands
animaux sont peints
en frise semi-circulaire
dans la Rotonde ou
Salle des taureaux
(ci-dessous).

10 m

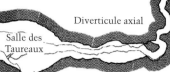

Diverticule axial

Salle des
Taureaux

Passage

Abside

Nef

Cabinet des Félins

architectural, commun
à toutes les cavités, se
greffent une infinité de
variations : les unes sont
naturelles, dues aux formes des
réseaux et de leurs parois; les autres
sont purement culturelles, dues aux
choix effectués par les hommes.

Le «Sanctuaire»

Dans certaines grottes, la symbiose entre le
dispositif pariétal et les particularités topographiques
et morphologiques de l'architecture naturelle est si
manifeste qu'elle rend intelligible la construction
symbolique du «Sanctuaire» (selon le terme de
Leroi-Gourhan), c'est-à-dire, d'un endroit particulier
de la grotte auquel était très évidemment attribué
une fonction sociale particulière. Le cas le plus
simple est celui de l'association entre un thème
dominant et un secteur du réseau souterrain.

En bandeau semi-
circulaire dans
la Rotonde (page
de gauche), peint
et bilatéral dans
le Diverticule axial,
le dispositif pariétal
de Lascaux est surtout
gravé dans l'étroit et
bas Passage de même
que dans le Diverticule
des Félins. Dans la Nef
(ci-dessus), haute et
large, peintures et
gravures se mélangent
en se concentrant
principalement sur la
paroi gauche, la plus
accessible. L'Abside
recueille des centaines
de représentations
gravées et peintes,
du ras du sol au centre
du plafond. Le Puits est
à l'écart en contrebas.

La réalisation du fac-similé de Lascaux est un bon exemple de l'association bénéfique de l'art et de la recherche. La fermeture de la grotte au public, en 1963, fut imposée par les altérations que subissaient les parois. L'exploitation touristique intensive avait favorisé la contamination biologique de la cavité qui se manifesta notamment par la prolifération de micro-organismes, la «maladie verte». Parallèlement, les chocs thermiques et hygrométriques infligés à la grotte provoquèrent l'accélération de la formation de micro-concrétions, la «maladie blanche». La réplique exacte de la grotte, Lascaux II, fut réalisée à proximité du site original. Grâce à une multitude de mesures et de levers topographiques par photogrammétrie, il fut possible de construire une coque rigide aux formes et dimensions réelles de la Rotonde et du Diverticule axial. Il restait au sculpteur, René Sanson, à habiller la coque en reproduisant la paroi elle-même, son grain, les concrétionnements. Sur les parois de cette grotte artificielle, le peintre, Monique Peytral, exécuta avec la même précision les peintures.

Ainsi, dans la grotte d'Altamira (Cantabrie), la vingtaine de bisons rouges et noirs et la vingtaine de signes en accolades rouges qui leur sont associés ne laissent que peu de place à une biche, deux chevaux et un sanglier, sur le plafond d'une centaine de mètres carrés; dans la galerie finale de la cavité, quelques grands signes quadrangulaires noirs et deux masques noirs constituent l'essentiel du dispositif. Il y a bien opposition entre les dispositifs du plafond et ceux de la galerie profonde. Dans la grotte ariégeoise

Les Magdaléniens réalisèrent le chef-d'œuvre d'Altamira (ci-dessous et ci-contre), les bisons bichromes et les grands signes rouges du plafond, allongés sur le sol, sans jamais pouvoir le contempler dans sa totalité. Le plafond n'était alors qu'à un mètre du sol.

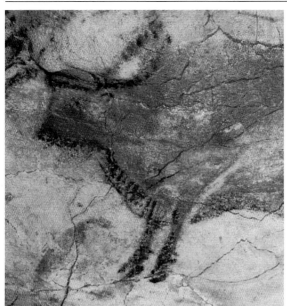

L a grotte du Portel (ci-dessous) a la forme d'un trident. Les représentations peintes, dessinées et gravées par des Magdaléniens se localisent dans l'axe central et dans chaque galerie, plus étroite et sinueuse. L'une d'elles rassemble presque tous les bisons, une autre les chevaux. Ici, les deux thèmes souvent associés de l'art pariétal magdalénien paraissent antagonistes.

du Portel, les nombres de chevaux et de bisons sont inversés d'une galerie à l'autre : 3 chevaux, 8 bisons dans la première, 9 chevaux et 1 bison dans la seconde, 11 chevaux et 2 bisons dans la troisième, enfin 3 chevaux et 12 bisons dans la dernière. Il en ressort une organisation thématique structurée par unité topographique isolable (une galerie) et fondée sur une nette opposition thématique entre

les thèmes bison et cheval, indépendamment des autres thèmes animaliers (cervidé, bouquetin, poisson et chouette).

La grotte de Niaux, avec ses quelque 460 animaux et signes dessinés en rouge et noir pour la plupart, quelquefois tracés sur le sol sablonneux, donne l'exemple d'une construction symbolique très élaborée, étendue à la totalité de son réseau long de plus de 2 kilomètres. Son exemplarité découle d'une part de la claire division de l'espace souterrain en galeries et en salles, d'autre part de l'homogénéité culturelle du dispositif réalisé entre – 13 000 et – 12 000 ans environ selon les datations obtenues sur des tracés noirs charbonneux du Salon noir.

Située entre les deux Carrefours de Niaux, la galerie profonde recèle quatre grands signes ramifiés rouges. Ce type de signe est plutôt rare mais on en connaît de comparables à Lascaux. A eux seuls, les signes ramifiés de Niaux la distinguent des autres grottes magdaléniennes des Pyrénées ariégeoises. Dans un recessus latéral et sur des pendentifs bas (ci-dessus) en surplomb, on discerne deux des ramifiés; l'un est

Noir-animal-salle, rouge-signe-galerie

Le Salon noir de Niaux, vaste et haute salle située à l'extrémité d'une large galerie latérale du réseau, concentre en quelques panneaux bien séparés les uns des autres par leurs cadres rocheux naturels à peu près la moitié des représentations de la grotte, presque toutes tracées en noir. C'est au contraire le rouge qui fut quasi exclusivement employé dans les galeries. Rouge et noir divisent bien en deux parties quantitativement égales le dispositif pariétal, lui-même divisé entre l'espace de circulation immense et un espace clos, majestueux cependant. Environ 80 % des 107 animaux sont localisés dans le Salon noir et son approche immédiate, alors que près des deux tiers des signes sont disséminés dans les galeries. La grotte de Niaux offre une sorte de modèle du symbolisme graphique magdalénien qui pourrait être ainsi synthétisé : noir-animal-salle et rouge-signe-galerie.

Les signes ponctués qui représentent 30 % des 340 signes de la grotte sont préférentiellement localisés dans les galeries, plus particulièrement avant et juste après le grand Carrefour où la montée du Salon noir prend origine. Au contraire, les signes linéaires, qui totalisent près de la moitié des signes, sont électivement situés dans le Salon noir en liaison étroite avec les animaux. Un nouveau niveau de la construction devient accessible : signes ponctués-rouges-galeries et signes linéaires-noirs-animaux noirs-salle.

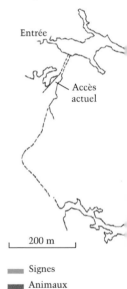

Entrée

Accès actuel

200 m

▬ Signes

▬ Animaux

vertical, cadré sur son support, l'autre est placé horizontalement sous le tracé cervico-dorsal d'un animal impossible à déterminer.

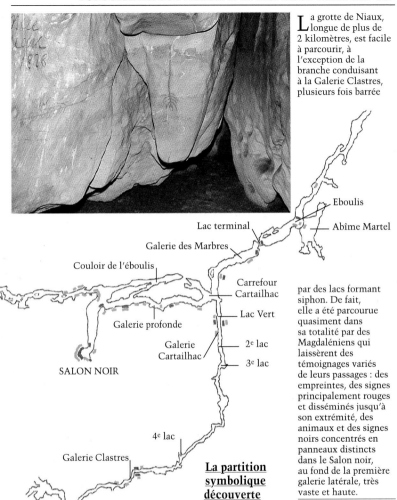

La grotte de Niaux, longue de plus de 2 kilomètres, est facile à parcourir, à l'exception de la branche conduisant à la Galerie Clastres, plusieurs fois barrée par des lacs formant siphon. De fait, elle a été parcourue quasiment dans sa totalité par les Magdaléniens qui laissèrent des témoignages variés de leurs passages : des empreintes, des signes principalement rouges et disséminés jusqu'à son extrémité, des animaux et des signes noirs concentrés en panneaux distincts dans le Salon noir, au fond de la première galerie latérale, très vaste et haute.

Eboulis

Abîme Martel

Lac terminal

Galerie des Marbres

Couloir de l'éboulis

Carrefour Cartailhac

Lac Vert

Galerie profonde

Galerie Cartailhac

2e lac

3e lac

SALON NOIR

4e lac

Galerie Clastres

La partition symbolique découverte

Les signes à structure élaborée, moins nombreux, sont toutefois déterminants pour accéder à un degré supérieur de l'organisation symbolique du sanctuaire. Les signes angulaires, 11 % de la totalité des signes, sont presque tous localisés dans le Salon noir et pour la plupart associés aux bisons. Cette liaison particulière entre bison et signe angulaire se retrouve répétée pour le «bison aux cupules» imprimé sur le sol de la galerie profonde, ce qui dénote sa force symbolique. Les signes angulaires sont dessinés en noir, sauf huit des neuf signes possédant un axe médian court, associés aux bisons mais aussi à un cheval dans le Salon noir. Cinq signes ramifiés ou empennés ont été dessinés en rouge exclusivement dans les galeries. Les quinze claviformes de Niaux apportent une ultime clé pour l'analyse de la construction symbolique. Tous sont rouges, y compris les trois mis en position marginale dans le Salon noir : l'un est fiché dans le dos d'un des rares bisons isolés au début du dispositif, et deux sont associés à des alignements de points rouges, dissimulés dans une faille verticale à l'écart des panneaux d'animaux et de signes. L'association avec des signes ponctués caractérise la localisation des claviformes dans les galeries. Finalement, en intégrant successivement les paramètres techniques (couleurs), thématiques et topographiques mis en jeu par les Magdaléniens, la partition de Niaux se découvre : il s'agit bien d'une organisation symbolique, codée par la multiplicité des liaisons thématiques établies systématiquement dans la grotte jusqu'en ses recoins extrêmes.

Lascaux, avec son millier de représentations peintes, majestueusement composées, et gravées, intimement enchevêtrées, distribuées en panneaux rythmés par l'architecture variée du réseau, fut aussi rigoureusement construite que Niaux. Lascaux, Niaux, parmi tant de grottes paléolithiques de premier ordre, montrent que chaque construction symbolique repose sur un modèle cohérent original, fait des choix thématiques et de leurs liaisons au sein de dispositifs pariétaux régis par des règles d'organisation adaptées aux particularités architecturales des espaces et des volumes souterrains.

Le miroir du sens

Art codé, mais sans paroles, l'art paléolithique reste indéchiffrable. Pourtant, il rayonne de sens dans la multiplicité de ses expressions thématiques et de ses

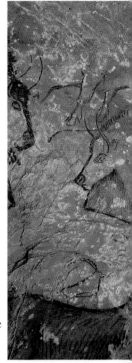

Quelques dessins imprimés sur les sols sablonneux de Niaux, dans le Salon noir et les galeries, ont échappé à la destruction provoquée par les visiteurs et les aménagements du site. Parmi ceux-ci, le «bison aux cupules» (ci-contre). Les cupules sont en réalité de petits entonnoirs creusés par des égouttis. Une cupule est ainsi devenue l'œil du bison, les autres ont suscité l'exécution de signes angulaires.

La composition du «grand panneau calcité» du Salon noir de la grotte de Niaux repose sur des effets de symétrie et d'emboîtement (ci-contre). On remarque précisément le croisement de deux têtes de bison, en un étonnant jeu graphique. Le bison tourné à gauche est réduit à son contour supérieur; au-dessus de lui, un autre bison est figuré par sa partie inférieure. L'art pariétal est clairement un art de la composition, investi dans l'architecture monumentale des grottes.

constructions symboliques. Il n'exprime pas la vie quotidienne des chasseurs qui l'ont inspiré. Il leur est toutefois intimement lié, selon des conventions établies par des règles sociales propres.

Deux hommes-bisons gravés dans le Sanctuaire des Trois-Frères (Ariège), un troisième gravé dans la grotte magdalénienne plus ancienne du Gabillou (Dordogne) et quelques rares êtres composites ni humains ni animaux ne sauraient suffire à accréditer l'idée que le chamanisme sous-tendrait l'art paléolithique. De même, l'ours modelé, lardé de coups dans l'immense grotte magdalénienne de Montespan et quelques autres représentations «blessées» ici et là ne peuvent justifier une interprétation globale de l'art paléolithique en termes d'envoûtements, de magies.

Que dans ces sociétés de chasseurs, dépendantes d'une économie d'autosuffisance encore largement aléatoire, des pratiques magiques aient eu cours, que des chamanes aient exercé des pouvoirs religieux sur les hommes et les animaux est bien vraisemblable; plusieurs indices repérés dans des sépultures et dans les habitats, autoriseraient à le penser. Pas l'art, précisément! La coupure est totale entre l'imaginaire et le vécu des Paléolithiques.

Si l'art des grottes et, d'une manière complémentaire, celui des objets avaient reflété la vie des Paléolithiques, ils eussent été narratifs et plutôt homogènes en raison de la stabilité des modes de vie

Dans l'abri sud-africain de Game Pass, un chaman à pattes d'éland tient par la queue un éland du Cap, affaissé et mourant (ci-dessous). L'étrangeté de la statuette en ivoire de Hohlenstein Stadel n'est pas moindre. Cet homme aurignacien à tête léonine est lui

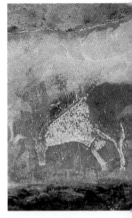

aussi en communion avec l'animal (page de droite). Dans la caverne de Montespan, le modelage en argile d'un ours est lardé de coups de sagaies; des coups portés par des Magdaléniens comme pour tuer en esprit le carnassier (ci-contre). Ici et là, dans le monde et le temps de la Préhistoire, l'art témoigne de l'intime relation d'intelligence unissant le chasseur à l'animal, l'esprit au réel, l'imaginaire au beau.

des chasseurs des temps glaciaires en Europe. Non! l'art des grottes, et des objets, reflète les pensées des hommes, leurs croyances les plus intimes; c'est pour cela que sa diversité est fondamentale, malgré l'uniformité des techniques d'expression et le nombre limité des choix thématiques, animaux, humains et signes élémentaires.

Les dispositifs pariétaux rassemblent symboliquement les images, les êtres, les

systèmes de pensées et de croyances que des sociétés ont produits. Organisées selon des normes thématiques et architecturales délibérément choisies et couplées, les constructions symboliques sont devenues en elles-mêmes et par elles-mêmes d'authentiques mythes. Dans la secrète obscurité du monde souterrain, les sociétés paléolithiques de l'Occident européen ont créé leur histoire, ont fondé et affirmé leur identité.

Pour la première fois dans la longue préhistoire de l'humanité, l'imaginaire métamorphosait le mythe, l'image incarnait le sens. *Sapiens* naissait alors à son futur; il transformait le monde à son image. C'était hier, l'aurore de notre modernité.

TÉMOIGNAGES
ET DOCUMENTS

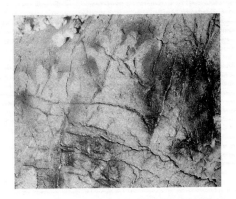

L'origine de l'Homme moderne

La paléoanthropologie doit établir ses théories à partir de vestiges fossiles incomplets et épars dans le temps et dans l'espace de la Préhistoire; elle doit aussi se dégager le mieux possible des poids idéologiques, culturels ou intellectuels, voire religieux, qui pèsent sur l'idée qu'on se fait de l'évolution de l'homme. De nos jours, un débat de fond s'est instauré sur l'origine unique ou les origines diverses de Homo Sapiens sapiens.

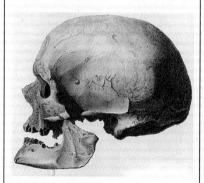

Crâne de Cro- Magnon.

Tous des hommes, doublement «sapiens»

Les anthropologues réunissent tous les êtres humain actuels dans la seule sous-espèce *Homo sapiens sapiens*, plus communément appelée «Homme moderne». Cette sous-espèce rassemble, évidemment, tous les hommes vivants, mais aussi tous ceux de leurs prédécesseurs qui ressemblaient aux hommes actuels. Dans la mesure où les populations passées ne nous sont connues que par les squelettes, c'est à partir des seuls ossements que nous pouvons établir une diagnose englobant tous les hommes modernes. Celle-ci est fondée essentiellement sinon uniquement, sur le crâne. Ses principales caractéristiques sont les suivantes :

– d'abord une architecture osseuse crânienne bien particulière qui donne une forme générale très arrondie, avec une bascule vers le bas de la région occipitale, un grand développement des parties cérébrales antérieures, c'est-à-dire frontales, mais avec une réduction de la face;

– ensuite une gracilité générale, les os et spécialement ceux de la calotte crânienne sont assez minces; les reliefs osseux tels que le bourrelet sus-orbitaire ou les reliefs occipitaux sont assez peu marqués;

– enfin, caractère fondamental, le plus important peut-être, une très grande cavité cérébrale, donc un cerveau volumineux.

Mais la notion de ressemblance, mentionnée pour délimiter la sous-espèce, soulève cependant un certain nombre de difficultés et, en particulier, celle de savoir à quel moment la ressemblance s'atténue suffisamment, se transforme au point de devenir une différence. En d'autres termes, quand passe-t-on d'un taxon, d'une unité de la systématique, à un autre taxon?

Qu'y avait-il avant l'Homme moderne?

En remontant suffisamment loin dans le temps, entre 300 000 et 400 000 ans, on trouve les premiers représentants de l'espèce *Homo sapiens*, ceux que nous appelons classiquement les *Homo sapiens* archaïques. Ils ont déjà la forme que nous avons décrite, mais le cerveau, tout en étant volumineux, n'a pas encore atteint son volume actuel, et une autre différence importante réside dans le très fort développement des os, particulièrement des superstructures osseuses : les parois crâniennes sont très épaisses, il y a un bourrelet sus-orbitaire très robuste qui prend la forme d'un torus, c'est-à-dire d'une barre transversale continue au-dessus des orbites.

En remontant plus loin dans le temps, on trouve des fossiles bien différents. Ce sont les *Homo erectus*, généralement considérés comme une autre espèce. La forme a complètement changé : la bascule de la région occipitale est beaucoup moins accusée, la voûte crânienne est très basse, la face est beaucoup plus saillante, les superstructures osseuses sont considérables et le volume cérébral est faible, environ 900 cm^3, alors que celui d'un homme actuel est de 1 450 cm^3 en moyenne.

La généalogie des hommes est donc passée des *Homo erectus*, de formes très archaïques, avec un petit cerveau et une très grande robustesse, à des *Homo sapiens* archaïques munis d'un cerveau plus volumineux et qui vont transformer leur architecture crânienne, qui restera pourtant extrêmement robuste.

À ces formes, enfin, ont succédé les *Homo sapiens*, appelés Hommes modernes, parce qu'ils nous ressemblent, avec une morphologie bien plus gracile.

Cet Homme moderne a été considéré pendant très longtemps comme d'apparition récente. Depuis la naissance de la paléontologie humaine, ou paléoanthropologie, et jusqu'à une époque qu'on peut situer aux environs du milieu du XXe siècle, il était classique d'admettre une succession linéaire de formes qui s'emboîtaient les unes dans les autres quand on remontait dans le temps. L'apparition la plus récente était celle de l'Homme moderne, qui avait succédé à l'Homme de Néandertal, et on la situait aux alentours de 35 000 à 40 000 ans.

L'un des apports considérables des quinze dernières années a été de modifier complètement, de briser ce schéma traditionnel et de reculer de 60 000 à 65 000 ans les origines de l'Homme moderne, grâce aux progrès des méthodes de fouilles et de datations radiochronologiques. Des fossiles ont en effet prouvé, en Afrique aussi bien qu'au Proche-Orient, et bien qu'à un moindre degré en Asie, que des hommes de morphologie moderne avaient vécu au moins 100 000 ans avant notre époque.

Les deux théories sur l'origine de l'Homme moderne

Le problème qui se pose maintenant est celui de l'origine. D'où vient cet Homme moderne, ou plutôt d'où viennent ces Hommes modernes?

Pour les uns, l'Homme moderne a une origine unique qui est très vraisemblablement africaine et, même précisément, d'Afrique sub-saharienne. Cette origine daterait de 100 000 à 200 000 ans. C'est à partir de ce centre

Cette théorie a reçu le nom, tout à fait évocateur, de «théorie de l'Arche de Noé», qui symbolise l'origine unique de la nouvelle population et le repeuplement général de toute la Terre. Il est à noter que cette théorie bénéficie surtout du soutien de généticiens.

Pour les autres, des anthropologues en majorité, la morphologie moderne est apparue progressivement dans plusieurs régions de l'Ancien Monde, à partir des *Homo sapiens* archaïques qui habitaient ces mêmes régions. Ainsi, pour cette seconde théorie, il y a, bien sûr, une seule origine au sens taxonomique du terme, car la même espèce archaïque initiale est à la base des transformations qui ont abouti à l'Homme moderne; mais cette espèce a évolué simultanément, ou avec de légers décalages, dans les diverses régions de l'Ancien Monde où elle se trouvait pour aboutir aux Hommes modernes.

Cette théorie a reçu, elle aussi, un nom imagé : on l'appelle «théorie du Candélabre», illustrant ainsi l'existence de plusieurs séries évolutives parallèles qui se terminent par des résultats similaires, mais distincts.

Quelle théorie choisir?

Quels sont les arguments qui plaident en faveur de chacune d'elles?

Il est absolument évident qu'il n'existe pas actuellement de preuve décisive, car, dans ce cas, tous les anthropologues seraient déjà d'accord et tous les généticiens aussi! La préférence pour l'un ou l'autre de ces deux processus dépendrait donc, ainsi, de l'interprétation que l'on donne des données actuelles qui sont encore incomplètes... Un fait, pourtant, paraît indiscutable : ce sont les fossiles qui permettront de trouver finalement la solution exacte du

Sépulture de Qafzeh.

unique de formation que l'humanité moderne se serait répandue sur la totalité de l'Ancien Monde, se substituant aux populations locales d'*Homo sapiens* archaïques qui vivaient dans les régions qu'elle atteignait.

problème. Lorsque la paléoanthropologie disposera de fossiles bien datés en quantité suffisante, quand elle pourra reconstituer avec un nombre significatif de témoins les successions des populations et décrire de façon certaine les transformations qu'elles ont subies ou les migrations qui les ont déplacées, il n'y aura plus d'incertitude sur les voies qui ont abouti à l'apparition de l'Homme moderne.

Les généticiens prennent pour bases un certain nombre d'observations tout à fait pertinentes. Ils font des comparaisons entre les populations actuelles et, en fonction des distances génétiques observées, ils en déduisent le moment où les différentes populations ont acquis leur individualité. Ces travaux portent sur l'ADN mitochondrial et l'ADN nucléaire. Par exemple, certains chercheurs qui ont étudié le polymorphisme des gènes de la ß-globine ont montré une plus grande diversité dans les populations africaines et les autres. Les premières auraient une origine plus ancienne.

Ce schéma ne manque pas de cohérence; mais il faut aussi essayer de déterminer le temps nécessaire pour que les transformations en question aient pu avoir lieu et se répandre. Et les généticiens manquent malheureusement de moyens pour mesurer le temps avec précision. Ils ont, certes, des horloges moléculaires ou des horloges génétiques, mais elles sont le plus souvent incertaines et imprécises. Des calculs fondés sur une évaluation du taux de mutations par unité de temps montreraient que l'origine de l'Homme moderne se situerait entre 140000 et 290000 ans.

Il semble donc plus sûr de suivre la piste jalonnée par les fossiles, malheureusement trop peu nombreux à avoir été exhumés à l'heure actuelle.

Bernard Vandermeersch,
Les Conférences de la Société philomathique de Paris-IV,
Klincksieck, 1994

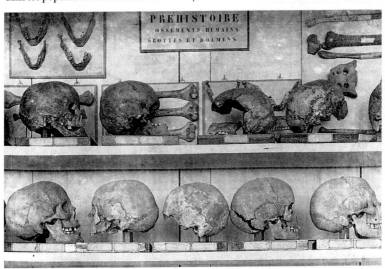

Pour une théorie de l'art paléolithique

Plutôt que de prêter aux Préhistoriques les pensées et les paroles des hommes actuels, occidentaux ou primitifs, comme l'ont fait ses prédécesseurs, André Leroi-Gourhan choisit de mettre en valeur les phénomènes culturels et les sens qu'ils sous-tendent.

Leroi-Gourhan, à sa table de travail.

Des cultures matérielles

La publication de La Préhistoire de l'art occidental, *en 1965, révolutionne l'analyse de l'art paléolithique en montrant qu'il ne s'était pas constitué au hasard de comportements magiques mais qu'il procédait d'une conception dualiste de l'univers, régie par deux principes complémentaires, mâle et femelle. Son analyse du concept de culture matérielle l'amène à considérer que l'art paléolithique a échappé aux renouvellements des techniques et qu'en conséquence il a eu une évolution continue. Aujourd'hui, cette conception globalisante est abandonnée au profit de la reconnaissance d'identités chronoculturelles et régionales.*

Si l'on pense voir dans la société primitive un semis de hordes poursuivant inlassablement leur gibier à travers des toundras immenses, on ne peut qu'être surpris; pendant de longs milliers d'années, dans l'Europe occidentale compartimentée par de nombreux obstacles naturels, des traditions stables ont assuré le mûrissement d'une symbolique dont le développement est absolument continu depuis la première manifestation artistique jusqu'à la fin du Magdalénien. Cette continuité est d'autant plus frappante que l'équipement matériel s'est renouvelé périodiquement, ainsi que l'expriment les coupures culturelles créées par les préhistoriens comme *châtelperronien, aurignacien, gravettien, solutréen, magdalénien.* Ces coupures ont parfois concouru à créer, dans la conscience générale, cette image arbitraire de nappes successives d'hommes aurignaciens ou solutréens balayant leurs prédécesseurs dans l'apport triomphal d'une nouvelle civilisation. Une simple comparaison permettra de saisir quelle souplesse il faut introduire dans la compréhension de ces conflagrations raciales, frappantes pour l'esprit, mais probablement fausses. Un archéologue du futur, cherchant comment diviser de manière expressive notre durée depuis le Moyen Age, créerait sans doute l'échelle chronologique suivante : *arcien, arbalétien, arquebusien, mousquetien, fusilien, fuséen*, etc., qui rendrait bien compte de la discontinuité progressive de notre équipement militaire mais qui n'aurait aucune prise sur la continuité réelle de nos langues ou de nos traditions religieuses. Il en est exactement de même pour la Préhistoire : l'aurignacien n'est pas un type d'homme, ni une langue, mais avant tout un type de sagaie et sous la surface des critères chronologiques qui sont des critères empruntés aux techniques (et avant tout à la chasse) tout témoigne d'une continuité comparable à celle qui nous relie aux Mérovingiens. L'art est précisément le témoignage le plus clair de cette continuité. On cherche encore un art qui soit typiquement solutréen, ou magdalénien, alors que par gradations insensibles le déroulement des représentations paléolithiques noie les divisions des technologues. Le premier argument qui sera défendu ici est que l'évolution de l'art paléolithique européen est homogène et continue, qu'elle implique la continuité et l'homogénéité culturelle des groupes humains qui l'ont subie. Telle sagaie peut être venue de l'Orient ou du Sud et avoir été adoptée d'enthousiasme sans rompre le fil des traditions religieuses, qui étaient le support des traditions artistiques. [...]

Préhistoriques, mais pas primitifs

Il serait facile de reprocher à la génération de chercheurs du début du siècle de s'être lancée avec un enthousiasme irrésistible dans la construction d'un homme préhistorique fait de morceaux d'Australiens, d'Esquimaux ou de Lapons : ce serait une grave injustice. L'esprit scientifique a toujours besoin de précisions et, pour pouvoir s'inscrire en tête de la liste des primitifs, il fallait que l'homme de Cro-Magnon produisît sa biographie. Il fournissait par milliers ses silex taillés et ses sagaies d'ivoire ou d'os de renne, par centaines ses animaux gravés; il n'y avait pas joint le moindre mode d'emploi. L'ethnographie intervint pour procurer aux vestiges du contexte vivant qui leur était indispensable. C'est à l'abbé Breuil qu'on doit d'avoir inlassablement cherché dans le monde primitif vivant les documents qui pouvaient restituer une existence, même un peu artificielle, à l'homme préhistorique. On lui doit presque tout ce qu'on a appris sur l'art paléolithique comme on lui doit la majeure partie des explications qui en ont été données. Une fois rendu à la vie, l'homme préhistorique a inévitablement fait son chemin vers la littérature et son image composite a pu acquérir la valeur d'une réalité historique. Un folklore nouveau naissait sur nos ancêtres, sans que d'ailleurs disparaisse complètement celui des «écoles d'art» et des «cahiers de croquis». L'homme qu'il a restitué a du moins le mérite d'être vraisemblable : on y voit le chasseur entrant dans la grotte pour peindre sur les murs un bison blessé, preuve indiscutable d'une magie d'envoûtement; on le voit peignant des signes plus ou moins géométriques qui sont pour les uns la représentation de sa propre maison, pour les autres des pièges ou des cabanes pour les esprits; on le voit reproduisant l'image de juments gravides pour assurer la fécondité du gibier, dansant, déguisé avec un masque cornu et une queue de cheval qui supposent une magie mimétique et des incantations, entraînant vers les profondeurs des adolescents terrorisés pour leur montrer ses œuvres, ce qui atteste l'existence d'un système d'initiation. De tout cela il est impossible de dire ce qui est faux : ce sont des hypothèses, pour la plupart raisonnables, fondées chaque fois sur un ou des documents qui peuvent servir de preuve. L'ensemble est même à tel point inattaquable que depuis près d'un demi-siècle on n'y a presque rien ajouté : l'ethnographie préhistorique s'est repliée sur ses demi-certitudes reposantes.

Cette création d'un homme préhistorique vivant et compréhensible représente une étape décisive; pourtant on peut formuler aujourd'hui un reproche de méthode. Prendre chaque fois un cas tiré de la préhistoire pour rechercher le cas correspondant parmi tous les peuples vivants connus n'éclaire pas le comportement de l'homme préhistorique. La seule preuve qui soit apportée, d'importance capitale, c'est que le comportement attribuable à l'homme préhistorique s'inscrit dans le même cadre que le comportement de l'homme récent, c'est-à-dire que l'homme préhistorique a possédé un comportement humain au sens actuel. En effet il existe bien, au Paléolithique, des bisons marqués de blessures, comme il existe aujourd'hui des poupées d'envoûtement percées de coups d'épingles, mais si l'on prend tous les bisons, moins de 15 % sont marqués par des blessures ou des armes : à quoi donc servaient les 85 % qui restent?

Il existe bien trois ou quatre cas de signes géométriques placés sur des animaux et pouvant représenter des pièges, mais il y a aussi des centaines de signes qui ne sont pas placés sur des animaux; quelle preuve a-t-on du fait que les Magdaléniens avaient une magie d'envoûtement? On verra ce qu'on peut penser des animaux «gravides» (bien des étalons représentés par les peintres chinois sont tout aussi «gravides» que les chevaux magdaléniens). Toutes les idées sur l'initiation des jeunes chasseurs tiennent à l'existence d'empreintes de talons étroits auprès des bisons modelés du Tuc d'Audoubert. Il n'est pas du tout impossible que des rituels d'initiation aient existé au Paléolithique, mais il ne semble pas qu'il y ait de moyen réellement scientifique d'en apporter pour le moment la démonstration par la méthode comparative. Celle-ci remplit son rôle lorsqu'elle nous apprend que les rites d'initiation existent chez de nombreux peuples actuels et que, de ce fait, l'homme préhistorique a pu les connaître; elle ne saurait aller au-delà.

Par quel moyen peut-on espérer embrasser autre chose que l'ombre des Australiens et des Esquimaux, voire celle de quelque sorcière de nos campagnes? Peut-être pourrait-on interroger l'homme préhistorique lui-même. Il est difficile de converser avec un mort sans apporter soi-même les répliques, sinon peut-être en adoptant un procédé d'étude qui permette de séparer rigoureusement ce qui est document de ce qui est hypothèse explicative.

André Leroi-Gourhan,
La Préhistoire de l'art occidental,
Mazenod, 1965-1972

.

Le Paléolithique supérieur en Europe occidentale : cultures, sites, datations.

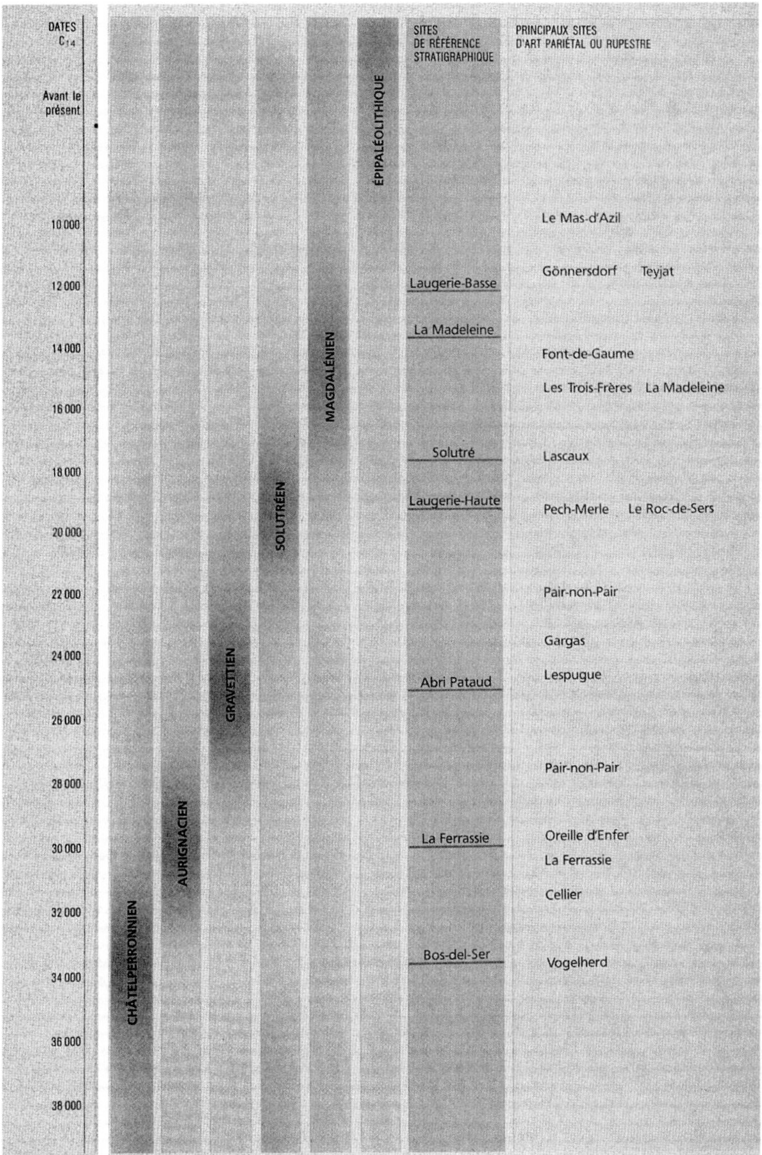

DATES C₁₄						SITES DE RÉFÉRENCE STRATIGRAPHIQUE	PRINCIPAUX SITES D'ART PARIÉTAL OU RUPESTRE

DATES
C₁₄

Avant le présent

SITES
DE RÉFÉRENCE
STRATIGRAPHIQUE

PRINCIPAUX SITES
D'ART PARIÉTAL OU RUPESTRE

ÉPIPALÉOLITHIQUE

MAGDALÉNIEN

SOLUTRÉEN

GRAVETTIEN

AURIGNACIEN

CHÂTELPERRONNIEN

10 000 — Le Mas-d'Azil

12 000 — Laugerie-Basse — Gönnersdorf   Teyjat

La Madeleine

14 000 — Font-de-Gaume

Les Trois-Frères   La Madeleine

16 000 —

18 000 — Solutré — Lascaux

Laugerie-Haute — Pech-Merle   Le Roc-de-Sers

20 000 —

22 000 — Pair-non-Pair

24 000 — Gargas

Abri Pataud — Lespugue

26 000 —

28 000 — Pair-non-Pair

30 000 — La Ferrassie — Oreille d'Enfer

La Ferrassie

Cellier

32 000 —

Bos-del-Ser — Vogelherd

34 000 —

36 000 —

38 000 —

Les tailleurs de silex magdaléniens d'Etiolles

Des fouilles bien menées conduisent à une connaissance approfondie et novatrice non seulement des activités et des gestes des artisans préhistoriques mais aussi de leurs concepts. Cette connaissance rend perceptibles des phénomènes sociaux autrement imperceptibles, comme l'apprentissage du débitage d'éclats et de lames au sein de communautés circonscrites dans les habitats fouillés.

Vue d'un sol d'habitat à Etiolles.

Une organisation sociale complexe?

La place sociale de l'activité de taille des roches dures est mal connue de l'ethnologie. Il est notoire que les ethnologues, déjà, se sont peu intéressés de façon générale aux techniques des sociétés qu'ils étudiaient, et encore moins au domaine de la pierre taillée, domaine complexe et peu spectaculaire. On dispose à la rigueur de dessins ou de descriptions sommaires des outils les plus explicites (pointes de flèche, couteaux, perçoirs…) mais jamais d'informations précises ni sur les techniques de fabrication (et encore moins sur la difficile technique de débitage) ni sur le rôle social de ceux qui les pratiquaient. […] Pour l'activité de taille, on présume donc qu'elle s'insérait dans le schéma social classiquement «simple» du type de société de chasseurs-cueilleurs où la cellule nucléaire est l'unité productrice de base, une unité autonome qui réunit l'ensemble du savoir technique nécessaire à la survie.

C'est en se référant implicitement à ces notions que les préhistoriens imaginent généralement comment les sociétés passées géraient leurs ressources lithiques et se fabriquaient leurs instruments en pierre taillée. Ce n'est donc pas sans un certain étonnement que l'on a découvert à Etiolles, à la suite des premières études sur l'exploitation du silex, une réalité technique, économique et sociale beaucoup plus complexe que celle attendue dans un tel contexte.

Un modèle rigoureux

Avec le présupposé que le couple familial est capable de se fabriquer tous les outils dont chacun a besoin, on ne saurait concevoir de technique si difficile qu'il faille l'acquérir au prix d'une initiation très longue. Chaque individu des deux sexes doit apprendre pendant son enfance et son adolescence l'ensemble des techniques qui lui seront utiles à l'âge adulte, et dans une société actuelle de nomades, il n'y a guère la place pour un investissement privilégié dans une technique particulière.

La cellule familiale préhistorique devait donc être en mesure de débiter la pierre et de retoucher, si nécessaire, les supports obtenus. Or, l'étude de l'unité d'habitation U5 à Etiolles a montré la pratique d'une technique de débitage d'une extrême complexité, due certainement à la nature du silex local. Ce dernier se présente en effet sous la forme de rognons aux dimensions considérables et tout à fait exceptionnelles. Il n'est pas rare que certains blocs atteignent 50 cm de long, voire beaucoup plus, et leur exploitation entraîne des difficultés sans commune mesure avec celles qui accompagnent normalement le débitage laminaire magdalénien sur des matériaux classiques. Et, en U5, les meilleurs nucléus, qui sont aussi les plus grands, ont tous été taillés «de main de maître», avec une parfaite connaissance des mécanismes en jeu, et une adresse jamais démentie lors de centaines de percussions. A côté, des débitages plus circonstanciels, moins difficiles et moins ambitieux, montrent a contrario la qualité et le soin des débitages les plus élaborés.

Finalement, on n'aurait pas dû s'étonner de découvrir dans le matériel taillé les témoins d'une initiation à cette technique. Onze débitages montraient l'existence d'un apprentissage très progressif et sans doute assez long : des débutants, que l'on peut identifier comme étant des enfants s'entraînant aux premiers rudiments d'un savoir et d'un savoir-faire d'une extrême

complexité opératoire, aux plus expérimentés des apprentis (adolescents? jeunes adultes?) qui avaient déjà accès à des matériaux corrects, même s'ils étaient déjà rentabilisés par les meilleurs techniciens.

Enfin, l'habitation elle-même reflétait assez rigoureusement cette organisation des activités de taille, ce que l'on pourrait résumer par cette formule : «n'importe qui ne faisait pas n'importe quoi n'importe où». Les 25 débitages élaborés ont été réalisés, soit sur le pourtour immédiat du foyer central de l'abri, soit sur des ateliers de taille extérieurs. Légèrement en retrait du foyer, sont localisés les débitages plus occasionnels, effectués par des tailleurs dont il est difficile d'apprécier la dextérité mais qui peuvent être considérés comme «moyens».

Enfin, en périphérie, près des couchettes, donc dans les lieux habituellement les plus privés de l'habitation, on retrouve les débitages maladroits.

Ainsi, les études sur U5 à Etiolles montraient une régulation dans la gestion des ressources lithiques dont le poids social était assez inattendu. L'hypothèse d'une relative spécialisation du débitage, assortie d'un apprentissage de la technique assez organisé, pouvait être raisonnablement avancée. Pour expliquer une organisation sociale du débitage si normée par rapport à ce que l'on croit connaître des chasseurs-cueilleurs, il est possible d'invoquer le caractère très exceptionnel du silex local. Unique et précieux, mais également très difficile à exploiter, il a pu inciter les sociétés d'Etiolles à s'adapter à ses exigences et s'investir dans l'initiation privilégiée de certains tailleurs.

M. Olive, N. Pigeot, *La Pierre préhistorique,*
Actes du séminaire 13-14/12/1990,
Laboratoire de recherche, Musées de France

Ressources naturelles et nutrition

Si l'on s'en tenait aux vestiges culinaires trouvés dans les habitats, les chasseurs préhistoriques passeraient pour uniquement carnivores! En fait, comme le montre avec humour Gilles Delluc, un médecin préhistorien (et l'inverse), leur régime d'omnivores était varié et a varié au cours de la Préhistoire, au fil des changements climatiques et des écosystèmes.

Le site de Pincevent.

Le travail quotidien d'un Cro-Magnon

Il a été calculé que le travail quotidien des Cro-Magnons, correspondant aux activités d'acquisition et à la fabrication des outils et des armes de chasse, ne devait guère excéder quelques heures par jour. A la saison favorable, rapporter un renne au campement, après l'avoir tué sans grandes difficultés au sein d'un grand troupeau, permettait d'assurer à une famille nucléaire, pour une semaine, une abondante nourriture (chair, graisse voire végétaux comme chez ces peuples qui consomment le contenu gastrique de ces animaux) et des matières premières pour fabriquer vêtements, mocassins, lanières, filins, courroies, armes, objets divers et bijoux. La durée hebdomadaire du travail des Bushmen est d'une douzaine d'heures (deux journées de six heures). On estime à 3 à 5 heures par jour le temps nécessaire encore aujourd'hui pour se procurer de la nourriture chez des chasseurs-collecteurs «situés dans les milieux qui paraissent sinon les plus hostiles, du moins les plus marginaux par rapport à la circulation mondiale et aux réseaux industriels». […] Chez les producteurs et jusqu'à nous, très schématiquement, c'est le travail, souvent à l'extérieur pour l'homme, et les besognes domestiques, à la maison mais que prolonge l'approvisionnement auprès des négociants pour la femme, qui vont remplacer la chasse et la pêche d'une part et la cueillette-ramassage d'autre part… Les ethnologues estiment que de tels groupes comptent habituellement entre 200 et 500 personnes : au-dessous, trouver un conjoint est difficile; au-dessus il y a trop de monde pour le territoire de chasse et de cueillette. A la notion de groupe, et sur la foi des fouilles d'habitats de une ou quelques

huttes ou tentes, les préhistoriens préfèrent la notion de famille nucléaire, dix fois plus réduite, correspondant à des densités de population assez nettement inférieures à une personne par kilomètre carré. A. Leroi-Gourhan, tenant compte que un kilomètre carré fait vivre cinq rennes, que dix rennes nourrissent un homme durant un an, que le rayon d'action des chasseurs est de vingt kilomètres et qu'ils tuent une bête sur dix, concluait (sans prendre en compte la pêche éventuelle et la cueillette) qu'il fallait 1 500 km^2 pour faire vivre une cinquantaine de personnes et que ce groupe devait avoir «tendance à se fractionner en petites collectivités de dix à quinze individus pour exploiter au mieux son terrain de chasse».
Cependant la décoration si riche et si organisée de Lascaux, de même que sa fréquentation (on y a découvert plus d'une centaine de lampes) correspondent à un groupe important sans doute sur une ou plusieurs générations. Comme on le sait, l'exogamie est l'échange des jeunes géniteurs d'un groupe à l'autre; elle est connue chez d'autres primates. De tels échanges ont permis de répandre, peu à peu, sur d'énormes surfaces, les procédés technologiques (modes de fabrication des outils et armes de pierre et d'os), les goûts esthétiques (parure), les mythes et les styles artistiques (art pariétal et mobilier), ainsi que certains matériaux (les divers types de silex) et objets (coquillages). Ils ont dû participer à l'uniformisation des habitudes nutritionnelles, nuancée par les différences inhérentes aux ressources locales, elles-mêmes liées à la géographie et au climat.

Gilles Delluc avec Brigitte Delluc
et Martine Roques,
La Nutrition préhistorique,
Pilote 24, 1995

Un régime alimentaire

Ces Hommes modernes mangent du gibier et des quantités substantielles de plantes au moins équivalentes énergétiquement à l'apport carné, sauf dans les régions inhospitalières (Béringie, Sibérie, Alaska), où ce dernier s'élève. Puis les facteurs climatiques et l'excès de chasse réduisent les ressources animales : la subsistance va obliger à produire des aliments. Les ressources aquatiques et les céréales sauvages vont être utilisées comme en témoignent les analyses de strontium osseux, marquant l'augmentation des aliments végétaux et la diminution de la consommation de viande; les mesures de carbone 14 annoncent aussi, chez certains hommes d'Israël, l'entrée en scène des agriculteurs, il y a plus de 10000 ans. L'agriculture apparaît au Proche-Orient, en Chine, en Amérique centrale et au Pérou; elle va diffuser au cours des dix derniers millénaires. La viande ne représente plus que 10 % de l'apport calorique et le nombre d'espèces végétales disponibles diminue. Le schéma nutritionnel va peu se modifier jusqu'à la Révolution industrielle, qui apporte des viandes riches en graisses (saturées), des sucres rapides, avec cependant un éventail de ressources végétales comparable à celui des peuples cueilleurs, mais des aliments sans fibres. Aux risques d'infections endémiques opportunistes et aux accidents traumatiques ont fait suite au Néolithique ceux des famines, des infections épidémiques sans compter ceux des guerres. Aujourd'hui, l'espérance de vie a cru brutalement au-dessus du niveau de 30-40 ans auquel elle s'était jusque-là maintenue, grâce aux progrès de l'hygiène et de la thérapeutique.

Idem

«La Fabrique du Beau»

La création artistique est récente. C'est la toute dernière grande invention des hommes préhistoriques les propulsant dans la modernité. En neurologue, Roger Vigouroux décortique les processus complexes évolutifs et fonctionnels du cerveau, en particulier la maturation frontale enfin acquise avec Homo sapiens sapiens, *auteur des premières images.*

Artisan mais pas artiste

L'*Homo faber* s'est mis à fabriquer ses outils avec un certain sens esthétique, répondant ainsi à la nécessité d'harmoniser l'objet qu'il façonnait avec des structures cognitives internes déjà perfectionnées. Il est parvenu un jour au stade de la pensée symbolique et déductive. Incapable de comprendre le monde qui l'entourait, angoissé par son propre destin, il a créé le mythe qu'il a exprimé par l'intermédiaire de l'art. Pour cela, il lui avait fallu acquérir, tout au long de l'évolution un cerveau gros et complexe. Son volume, compris entre 435 cm^3 et 582 cm^3 pour les Australopithèques, était passé à 775 cm^3 chez l'*Homo habilis*, avait dépassé les 1 000 cm^3 chez l'*Homo erectus* pour atteindre les 1 500 cm^3 chez les

Ci-contre, danses à Tahiti. Pages suivantes : masque porté par les sorciers de Nouvelle-Guinée; Rodin dans son atelier.

Néandertaliens. Le développement progressif des aires associatives s'était fait dans le sens d'un perfectionnement des activités neuropsychologiques. Il permettait de mieux traiter et d'intégrer les informations du monde extérieur arrivées à travers les canaux sensoriels, visuels, auditifs et tactiles. L'ensemble des structures nerveuses avait évolué dans un même sens. Le rhinencéphale par exemple qui jouait chez les vertébrés inférieurs un rôle prépondérant dans l'intégration des données olfactives, était devenu un des dispositifs régulateurs essentiels des émotions. Chez l'*Homo sapiens sapiens*, le lobe frontal acquerrait son plein épanouissement. [...]

L'explosion de l'art dans l'histoire de l'humanité correspond à la dernière phase évolutive du développement du cerveau, celle dans laquelle les activités neuropsychologiques du lobe frontal deviennent prépondérantes. Mais il ne faudrait pas imaginer qu'il existe un «Rubicon» cérébral. En fait, il s'agit d'un long processus de maturation. Celui-ci débute dans les réalisations comportementales de l'esprit animal d'ordre biologique pour s'affiner tout au long de l'évolution. A l'ébauche d'un sentiment esthétique dans les outils de l'*Homo erectus* répondent les quelques objets de parure du Néandertalien et les œuvres de l'homme de Cro-Magnon dans lesquelles nous nous reconnaissons.

Le cerveau, un outil à créer

N'existe-t-il pas dans toute création artistique véritable différentes strates correspondant à des données phylogénétiques? Toute œuvre semble

comporter une signification qui se rattache quelque part aux activités productives des espèces animales et des ancêtres qui nous ont précédés dans la voie de l'hominisation. On peut décrire quatre stades hiérarchisés.

Le premier niveau est comportemental. Le message exprimé répond à un besoin organique en relation avec les fonctions vitales de l'individu et de l'espèce. Il est avant tout signal, appel moyen de communication. La sexualité, la reproduction peuvent constituer un des moteurs essentiels de ce stade. Elles en appellent à la séduction, prémisse d'une motivation : plaire. La cohésion sociale est aussi une finalité. Les appels des primates assurent l'unité du groupe. Les chants poétiques, les danses rituelles des primitifs expriment les aspirations d'hommes et de femmes en tant que membres d'une communauté plutôt qu'en tant qu'individus. […]

Le second niveau se rapporte au geste. Les primates jouent de la craie, du crayon, du pinceau, des couleurs, pour produire des configurations qui témoignent d'un certain ordonnancement. Ils aspirent à «perturber» l'agencement chaotique de la réalité physique, à marquer le monde de leurs empreintes pour mieux le soumettre. Il ne s'agit pas pour eux de générer une œuvre durable, de faire un objet d'art. Leur activité motrice spontanée, irréfléchie, intuitive provient d'un besoin ludique, ancré dans leur système neuronal. Ils créent des configurations qui s'accordent avec leur système de représentation interne. Chez l'artisan et l'artiste, ce plan gestuel relève d'une nécessité d'harmoniser l'objet que l'on façonne aux sentiments que l'on éprouve, relier la matière, hostile et rebelle, avec nos propres structures cognitives internes, d'établir une forme de coordination, de *cohérence entre le monde physique et notre monde mental*. Il est possible que l'aspect esthétique de certains bifaces de l'*Homo erectus* provienne de ce mécanisme.

Le troisième niveau suppose l'apparition d'une pensée rationnelle. En face des grands mystères de la vie, de l'angoisse de la mort, l'homme, pour se rassurer, invente le mythe. Il l'exprime tout naturellement dans une œuvre qui *pérennise son existence*, le met en relation avec les forces vives de l'univers.

Enfin, l'art

Le quatrième niveau appartient au seul *Homo sapiens sapiens*. Le sentiment esthétique acquiert une existence autonome. Il devient représentation mentale, pensée consciente. A ce moment, l'art, d'abord relié au sacré et à l'écriture, se détache de ces derniers liens pour exister en tant que tel.

Cette évolution n'est pas terminée. Si morphologiquement notre cerveau ne diffère pratiquement pas de celui de l'homme de Cro-Magnon, rien ne nous empêche de penser que son organisation intime, fruit de toutes les adaptations avec le monde extérieur, ne se modifie progressivement. Le perfectionnement du langage, l'apparition de techniques de plus en plus sophistiquées nécessitant de nouveaux gestes, l'évolution des relations affectives et sociales, l'apparition de nouveaux systèmes communicatifs, l'ordinateur et bien d'autres acquisitions changent progressivement notre façon de penser et très vraisemblablement interviennent dans le jeu de nos circuits neuroniques. Notre cerveau ne constitue pas un système fermé et statique mais au contraire s'avère d'une remarquable plasticité. Ceci explique que la notion d'art ne possède pas la même signification selon l'époque où l'on se situe et que le message exprimé varie en fonction du contexte socioculturel. Le dénominateur commun qui permet à une œuvre, par son caractère universel et permanent, de demeurer artistique, c'est, comme pourrait le dire Malraux, ce quelque chose de sacré et de divin, cette mémoire collective enfouie au fond de nous qui nous rattache à cette communauté humaine dont on aperçoit les racines il y a plus de 30000 ans.

Roger Vigouroux,
La Fabrique du Beau,
Editions Odile Jacob, 1992

Mythe et métaphysique des Préhistoriques

S'il reste difficile de parler de religion à propos des Paléolithiques, une réflexion comparative sur les pratiques rituelles, comme celle menée par Jean-Pierre Mohen, est possible à partir de signes et d'indices relevés dans les sépultures, bien sûr, mais aussi parfois dans les grottes et habitats. L'au-delà des hommes préhistoriques paraît alors moins inaccessible et des embryons de mythes surgissent des faits archéologiques.

Le thème du chasseur mort

L'expression métaphysique est rendue par le raccourci qui montre, en une seule scène, l'action de la charge de l'animal blessé par l'homme et le résultat de cette double agression, la mort de l'homme et sans doute celle, toute proche, du bison. Quand on se réfère aux peuples chasseurs, sibériens ou esquimaux, on comprend l'angoisse de l'archer ou du lanceur de harpon qui pour nourrir les siens doit demander grâce auprès de l'esprit de la forêt, le dieu-ours, ou auprès de l'esprit de la mer glacée, l'esprit-baleine. Donner la mort dans un monde où la vie anime tout, même l'invisible ou l'inanimé, est une grave faute que seul le pardon peut atténuer.

L'homme mort du puits de Lascaux est en situation culturelle et non naturelle. Sa présence symbolique est explicitée par le bâton orné d'un oiseau. L'affrontement avec l'animal crée une double tension dans laquelle chacun des acteurs est porteur de vie et de mort à la fois : le bison éventré perd ses intestins et son sang; à l'agonie, il a la force de charger dans un moment ultime de surcroît d'énergie concentré sur la destruction de l'homme. Celui-ci, étendu,

inerte paraît physiquement mort
et en grand danger; son bâton orné lui
a échappé des mains mais l'on comprend
que quoi qu'il arrive, l'idée de l'oiseau
qui orne ce bâton restera, elle, intacte.
L'éternité de la vie culturelle va de pair
avec l'éternité de la vie physique
exprimée ici de la façon la plus brutale,
avec l'érection de l'homme nu et tué.
[...] La scène du puits de Lascaux nous
plonge dans un monde mythique qui
entoure aussi les sépultures de cette
époque du Paléolithique supérieur. [...]

Le monde symbolique de la sépulture

Quelques cas extraordinaires montrent
que cette société est allée très loin
dans l'exploration psychologique
de l'individualité des hommes. Prenons
l'exemple de la double sépulture de
Palini en Italie, qui présente le squelette
d'une jeune femme juxtaposé à celui
d'un nain. Le mythe de Quasimodo,
vécu il y a 20000 ans, a été immortalisé
dans l'éternité de la tombe! Y a-t-il
eu sacrifice de l'un ou de l'autre?
La question est profonde : elle est
maintenant sans réponse. A Barma
Grande en Italie, trois cadavres ont été
simultanément inhumés; un homme
adulte étendu sur le dos est le plus
richement paré avec une coiffe ornée
de nasses, de vertèbres de poissons,
de canines de cerf et de pendeloques
en ivoire au niveau du front, avec un
collier aux perles abondantes et avec des
parures de genoux. Une femme placée
sur le côté gauche, aux bras repliés sur
la poitrine semble s'accrocher à l'épaule
de l'homme, puis un adolescent dans
la même attitude semble s'accrocher
à son tour à la femme. Celle-ci n'a pas
de collier, ni de parure de genoux, ni
canines de cerf au niveau du front. Que
signifient ces attitudes? la jalousie? ou

quoi d'autre? Pourquoi les acteurs sont-
ils tous figés dans ces positions? [...]

La différence des sexes est manifeste
dans la mort paléolithique mais elle est
exprimée en général avec discrétion;
présence de canines de cervidé dans
la parure masculine ainsi que d'armes
de chasse (lances et javelots), association
de la femme et de l'enfant dans de rares
cas. Il est même étonnant que dans
le monde hautement symbolique
de la sépulture, il y ait si peu de petites
statuettes féminines et animales ou
quelque autre manifestation de l'art
mobilier pour lequel A. Leroi-Gourhan
a proposé, comme pour l'art pariétal,
une interprétation sexuelle. Deux
exceptions, les fragments d'une sculpture
en ivoire représentant un homme,
trouvés dans la sépulture 2 de Brno
en Moravie, et un petit cheval en os
découpé associé au mobilier de la
sépulture de Soungir en Russie, ne
semblent pas avoir de signification
particulière. Il reste le cas unique d'une
sépulture de Malta, en Sibérie : sous un
petit monument fait d'une accumulation
de dallettes, un enfant saupoudré
d'ocre était paré d'un collier de perles
et de pendentifs dont un oiseau en vol,
sculpté. Il portait à la ceinture une
plaque ornée en ivoire de mammouth.

La mort s'intègre à la vie

Il apparaît que le domaine funéraire
possède alors une expression forte
et variée, relativement indépendante
de toute autre manifestation culturelle.
La mort s'intègre à la vie. Au Mas
d'Azil dans l'Ariège, un crâne surmodelé
avec des rondelles osseuses incrustées
dans les orbites, isolé dans le fond
de la caverne, était vénéré par les
vivants. Dans la grotte du Placard
en Charente et dans celle d'Isturitz

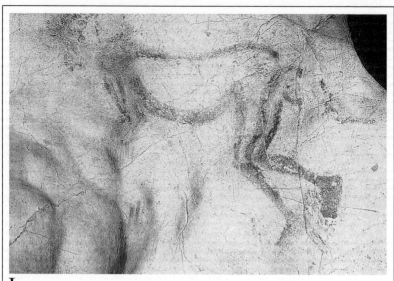

Le «sorcier» ou dieu cornu, grotte des Trois Frères.

dans les Pyrénées-Atlantiques, des stries de décharnement observées sur des mandibules et des os crâniens font penser à des prélèvements céphaliques sur des cadavres. Des calottes crâniennes ont été transformées, par polissage des bords, en coupelles, objets spécifiques qui n'ont pas d'équivalent en crâne animal. Des gravures sur des fragments crâniens renforcent l'idée d'un traitement et d'un intérêt particuliers des Magdaléniens dans la seconde moitié du Paléolithique supérieur, pour la manipulation et la vénération des crânes humains. L'homme âgé de soixante ans découvert à Soungir, saupoudré d'ocre et protégé par une grande dalle, avait reçu en offrande le crâne d'une femme déposé sur cette dalle.

Parmi les mises en scène funéraires d'un autre genre, il faut mentionner celles des sites exceptionnels faisant intervenir l'animal. A Malta, en Sibérie, il est vraisemblable qu'on soit en présence d'une sépulture de renard bleu, ce qui confirmerait le rôle particulier que joue cet animal dans la symbolique des parures funéraires des hommes préhistoriques. L'exemple tendrait aussi à donner à cet animal une vie spirituelle similaire à celle de l'homme. Le site d'Amvrosievka, en Ukraine, nous ramène dans le même ordre d'idée au bison sacrifié de Lascaux : on y a trouvé un ossuaire avec neuf cent cinquante ou mille bisons qui y étaient tués et amoncelés volontairement. Ce charnier évoque aussi le site de Solutré au nord de Mâcon, où ce sont des milliers de chevaux qui y ont été tués et dépecés. Un autre cas plus énigmatique encore, qui se rapprocherait du «sanctuaire» des ours du Régourdou en Dordogne, est celui d'Eliseevitchi, en Russie. Il se présente comme un enclos formé

de crânes de mammouths. Un long corridor enterré est bordé d'omoplates et de bassins des mêmes pachydermes. Parmi les vestiges trouvés sur ce site, il faut signaler des plaques d'ivoire, décorées de gravures représentant des poissons et des motifs géométriques.

En conclusion de ce développement sur les rites funéraires au temps de Lascaux, nous pouvons remettre en cause la notion d'un *Homo sapiens* préhistorique «primitif» qui aurait enterré ses morts de manière stéréotypée, en fonction d'un au-delà, continuation de la vie terrestre. L'homme du Paléolithique supérieur se comporte face à la mort selon des rites dictés sans doute par des mythologies dont la scène du puits de Lascaux est peut-être une illustration, mais aussi selon des rites adaptés aux situations les plus variées dominées par une vitalité qui dépasse la mort, et qui anime les dessins d'hommes blessés sur les parois des grottes et les squelettes mis en scène dans les sépultures.

C'est selon ce principe de vitalité qu'au Groenland, quand quelqu'un meurt on donne son nom à un nouveau-né, afin que le meilleur de lui continue à vivre. La facilité du transfert n'est sans doute qu'apparente mais la croyance est forte en une vie qui ne peut s'accommoder d'un corps froid inerte, et qui continue son destin dans un autre corps.

Jean-Pierre Mohen,
Les Rites de l'au-delà,
Editions Odile Jacob, 1995

Mannequin funéraire des îles Mallicolo.

La grotte Cosquer

Depuis la découverte, en 1991, de la grotte sous-marine, plusieurs expéditions ont eu lieu avec pour principaux objectifs les levers topographiques, le complément de l'inventaire des représentations et l'étude de la climatologie. Cependant, aucun spécialiste d'art pariétal paléolithique n'a encore pu étudier directement les représentations et les parois. La véritable étude scientifique de la grotte Cosquer reste à faire.

Empreintes de mains sur les parois de la grotte Cosquer.

Des zones d'ombre subsistent sur l'analyse et la connaissance du dispositif pariétal, sa chronologie et son élaboration, son hétérogénéité apparente et même sa polymorphie stylistique, en partie corroborées par les datations comprises entre 28 000 et 16 000 ans.

La grotte découverte entre Cassis et Marseille est un véritable trésor pour les archéologues. Ses dessins peints il y a 20000 ans évoquent l'art rupestre pyrénéen mais pour la première fois montrent les animaux dessinés de trois quarts et non plus de profil. Tout reste encore à déchiffrer. Un travail plus difficile que dans les grottes ordinaires, car l'accès s'en trouve caché par une galerie de 150 m de long noyée d'eau de mer.

Une grotte authentique

«Il ne peut y avoir aucun doute à ce sujet», dit Jean Courtin, le seul préhistorien à avoir pu s'y rendre, parce qu'un des seuls à pratiquer la plongée. «Pour réussir une telle supercherie, il aurait fallu que le faussaire soit à la fois un plongeur très expérimenté et un préhistorien averti, bien au fait des techniques et des styles des peintres préhistoriques, qu'il passe beaucoup de temps à tracer non seulement

les peintures mais aussi des dizaines de gravures sur ces parois, qu'il fabrique enfin deux foyers... et les imprègne de calcite, qu'il dispose aussi des concrétions de calcite çà et là sur les figures et des fragments de charbon de bois un peu partout. Cela fait beaucoup!» Les peintures et gravures découvertes dans une grotte des calanques par le plongeur Henri Cosquer sont donc unanimement admises comme authentiques. Une datation est du reste venue le confirmer. Effectuée sous la direction de Jacques Evin au laboratoire du radiocarbone (CNRS) de l'université Claude-Bernard, à Lyon, à partir d'un échantillon de charbon de bois prélevé dans la grotte par Jean Courtin, elle fait la moyenne des trois dates et donne un âge de 18 440 ans avec une marge, normale, de 440 ans. Compte tenu des corrections à apporter désormais aux dates radiocarbone, des hommes sont passés dans cette grotte il y a 21 000 à 22 000 ans. Sans doute y ont-ils réalisé alors une partie des figures pariétales.

Des figures qui posent bien des problèmes

Le premier de ces problèmes est évident : elles sont très difficiles à atteindre. L'entrée de la grotte est elle-même délicate à trouver, tout en bas de la falaise du cap Morgiou, à 37 mètres de profondeur, c'est-à-dire là où commençait la plaine littorale fréquentée par les hommes au temps de la glaciation, quand le niveau de la mer était à une centaine de mètres plus bas qu'aujourd'hui. C'est presque une entrée de boyau : elle ne dépasse pas 1,10 mètre de hauteur. Il faut donc plonger jusque-là, s'enfiler dans l'ouverture et remonter la galerie sur environ 150 mètres jusqu'au rétrécissement final, d'environ 1 mètre,

qui permet de déboucher dans la caverne. Un parcours pénible, de l'avis de tous ceux qui l'ont suivi. Certains plongeurs professionnels auraient déclaré qu'ils ne voulaient plus retourner là-dedans... La montée dans la galerie dure environ 11 minutes. [...] La mer se trouvant 100 mètres plus bas au dernier maximum de la glaciation, bien des sites ont dû être noyés et les calanques, c'est bien connu, contiennent d'innombrables cavités. Au cours de ces plongées, des ouvertures de grottes avaient été repérées ainsi que quelques gisements très anciens, mais, dit Courtin, «nous n'avons même pas pensé à regarder les parois ni à chercher de l'art rupestre paléolithique».

Un tel art n'était pas censé exister en Provence

En effet, les grandes provinces de cet art sont l'Espagne cantabrique, le pied des Pyrénées (surtout en Ariège et en Haute-Garonne), le Périgord, le Quercy et à l'est, un groupe situé autour de la vallée de l'Ardèche. Au-delà, à l'est du Rhône, il n'y avait rien. Le fleuve constituait une frontière que les porteurs de certaines cultures n'ont pratiquement pas traversée vers l'est : ainsi des Solutréens d'il y a environ 20 000 ans. Quant aux Magdaléniens, auteurs de la plus grande partie des œuvres d'art rupestre, ils semblent ne l'avoir fait que sur le tard et assez peu : on ne connaît que trois sites magdaléniens en Provence. L'éventualité d'une grotte ornée dans cette région n'était donc pas envisagée. Et voilà que le directeur d'une école de plongée de Cassis, retournant au mois de juillet dans cette belle caverne qu'il avait découverte en 1985, découvrit tout à coup une main peinte en négatif sur la paroi. Il prit une photo. Au développement, deux autres mains apparurent sur le cliché.

Venant de la galerie, les premières figures que l'on voit sont des chevaux. De beaux chevaux peints en noir. Ils sont trois et il y en a trois autres plus loin. Ils ne sont pas sans évoquer les célèbres chevaux de Niaux, dans l'Ariège : Ce qui pose un autre problème : de façon générale, les spécialistes qui ont examiné les photographies trouvent à beaucoup de figures de la grotte Cosquer des ressemblances non seulement avec celles de Niaux, à 400 kilomètres de là, mais aussi avec celles de certaines grottes cantabriques. Ce qui fait très loin.

Outre les chevaux, on a vu un bouquetin fort élégant, un bison assez pyrénéen d'aspect lui aussi, un cerf, un félin, et deux animaux inattendus qui ressemblent beaucoup à des manchots ou à des pingouins. Les mains sont nombreuses, peintes en négatif par soufflage, le plus souvent sur fond noir, quelques-unes sur fond rouge. Comme celles que l'on connaît dans les Pyrénées ou en Quercy, elles ont beaucoup de doigts «mutilés» ou simplement repliés. Enfin les gravures abondent, très enchevêtrées et qui n'ont évidemment pas pu être toutes identifiées au cours des deux journées qu'a duré l'expertise. Toute cela forme un ensemble de grande qualité. Les spécialistes évoquent facilement à son sujet, non pas Lascaux ni même Altamira, mais ces «grands» de l'art rupestre que sont Niaux, Pech-Merle, Ekaïn ou Tito Bustillo : la classe.

Le second intérêt de cette grotte est qu'elle contient d'autres vestiges. Courtin a vu un beau foyer au sommet d'une butte émergée, bien rond. Les plongeurs en ont vu un second. Il y a des fragments de charbon de bois en masse dans une brèche argileuse tout près – ceux du foyer sont pratiquement inutilisables du fait de l'humidité. Il y a sans doute des couches en place et de l'outillage…

Etant donné les difficultés d'accès, l'étude ne sera pas facile. Il y a les peintures et surtout les gravures dont il faudra faire le relevé – un travail de précision et très long, d'autant que les gravures se superposent. Il y a des fouilles à mener, autre tâche de longue haleine. Actuellement, l'accès à la grotte est scellé, mais on pourra le rouvrir pour une campagne d'étude éventuelle. L'accès par le haut s'avère difficile parce qu'il faudrait percer un tunnel depuis une altitude de 115 mètres. Un tunnel risquerait d'ailleurs d'altérer le microclimat de ces deux salles. En effet, la grotte semble totalement isolée de l'extérieur. Lors de l'expertise, on a enregistré le taux de CO_2 au début du séjour et à la fin : l'augmentation a été notable. Il ne faudra sans doute pas séjourner là trop longtemps… De plus, l'atmosphère de la grotte est en légère surpression par rapport à l'extérieur, comme si la mer, en envahissant la galerie peu après la fin de la glaciation, et en remontant, avait peu à peu comprimé l'air de ces cavités.

Ce sera donc difficile, beaucoup plus difficile et plus long que dans les grottes ordinaires. D'autant que cet art rupestre provençal, à peine découvert, pose déjà aux spécialistes tout un monde de questions. On a vu qu'il évoquait l'art rupestre pyrénéen, ce qui conduit à s'interroger sur les relations qui ont pu exister entre les deux régions. Mais les peintures de la grotte de Marseille (elle se trouve effectivement sur le territoire même de cette commune) ont aussi une originalité indéniable. Voyez ce bison, représenté la tête un peu penchée, de trois quarts, les deux yeux visibles : cela n'existe nulle part. Voyez la tête de ces chevaux, entièrement peinte en noir mais avec les naseaux et les yeux réservés : les chevaux de Niaux n'ont

Les chevaux sur la paroi de la grotte.

rien de tel. Ou encore ces animaux peints ou gravés avec un sexe mâle fort apparent : sur les figures d'Aquitaine et des Pyrénées, le sexe est en général inexistant ou très discret... En passant le Rhône, l'art rupestre a donc pris des libertés avec les règles.

Qui donc étaient les auteurs de ces figures?

Qui donc étaient les auteurs de ces figures? Peut-être des Magdaléniens qui se souvenaient de Niaux. Mais la date obtenue au laboratoire du radiocarbone est plus ancienne que celle que l'on admet pour les figures de la caverne ariégeoise. Elle pourrait, il est vrai, concerner une première phase dans la décoration de la grotte provençale : le premier examen des photographies conduit les spécialistes à se demander s'il n'y aurait pas eu deux époques, l'une où l'on aurait fait les gravures et les mains, la seconde où auraient été peintes les figures noires. Ces questions mêmes ne sont posées que sous toute réserve, mais avec une date de plus de 18000 ans, on peut se demander ce que les Magdaléniens ont eu à voir avec cette grotte : normalement, ils n'ont passé le Rhône que très tard dans leur histoire. Les figures noires, qui leur seraient attribuables, pourraient être bien plus récentes, correspondant au Magdalénien moyen ou récent des Pyrénées. Les dates obtenues concerneraient les figures plus anciennes et relèveraient d'autres gens appartenant peut-être à ces sociétés que les préhistoriens baptisent «tardi-gravettiennes» et qui vivaient dans les régions méditerranéennes à l'est du Rhône et en Italie. Mais voilà : on ne leur connaît guère d'art rupestre, sinon dans l'extrême Sud de l'Italie et en Sicile... Les problèmes se multiplient!

Peut-être sommes-nous seulement en train de découvrir que nous ne connaissons presque rien de l'art rupestre et de ses auteurs.

Henri de Saint-Blanquat,
«La Grotte sauvée des eaux»,
Sciences et Avenir, décembre 1991

La grotte Chauvet

Une à deux grottes ornées paléolithiques sont découvertes chaque année depuis les années 1970, sous l'impulsion de recherches systématiques dans les régions karstiques de France et d'Espagne où abondent des grottes et des habitats préhistoriques. Les grottes de la qualité artistique et thématique de Chauvet sont exceptionnelles. En outre, les datations directes des représentations en font des œuvres aurignaciennes, les plus anciennes datées de l'art pariétal.

Dessins de la grotte Chauvet.

Un paysage de rêve

Un «trou souffleur» débouché en décembre 1994 au creux d'une anfractuosité, à mi-hauteur de la puissante falaise de calcaire urgonien du Cirque d'Estre, donne à J.-M. Chauvet est ses compagnons spéléologues accès au réseau merveilleusement conservé, long de plus de 170 mètres sur son axe principal. Nul n'avait pénétré depuis l'obstruction de l'entrée probablement à l'époque glaciaire! Une vingtaine de sites pariétaux et de nombreux habitats du Paléolithique supérieur, depuis l'Aurignacien jusqu'au Magdalénien, sont connues à proximité et dans le canyon de l'Ardèche. Le canyon a attiré les chasseurs paléolithiques pour son microclimat, sa richesse en matières premières (silex), et son écosystème favorable à la chasse et à la cueillette. Contrairement à la grotte Cosquer, isolée du double point de vue géographique et culturel, la grotte Chauvet s'insère dans l'environnement archéologique le plus dense du Paléolithique supérieur du Sud-Est.

Des datations, mais pas encore de chronologie

Des charbons prélevés sur le sol en trois endroits de la partie terminale de la grotte, datés de 29000 (± 400 ans), 24770 (± 780 ans) et 22800 (± 400 ans) BP (avant le Présent) indiquent différents passages dans la grotte, au cours de deux périodes distinctes, au moins; celles-ci ne correspondent pas à une autre période de fréquentation, comprise entre 25700 (± 850 ans) et 26980 (± 410 ans) BP, définie par les datations de micro-échantillons charbonneux de mouchages de torches; l'un de ceux-ci oblitère le léger concrétionnement déposé sur un panneau de dessins. De fait, cette trace est plus récente que les trois datations directes d'animaux tracés au «fusain», un bison d'un côté et deux rhinocéros affrontés de l'autre. Les cinq datations obtenues sont comprises entre 30 340 (± 570 ans) et 32 410 (± 720 ans) BP. Ces dessins sont donc aurignaciens. Ainsi, les datations couvrent 10 000 ans de préhistoire régionale, aurignacienne puis gravettienne. Il faut attendre l'étude précise de la cavité et de ses représentations pour savoir si le dispositif pariétal fut construit en une ou plusieurs étapes et par qui.

Des animaux et des hommes

L'inventaire des représentations est encore partiel car la grotte n'a pas été explorée dans l'attente d'un aménagement de dispositifs de circulation permettant de protéger et conserver les sols. Ceux-ci ont en effet conservé intacts de précieux témoignages des fréquentations humaines et animales dont les relations seront intéressantes à connaître : des empreintes de pattes et de couchages d'ours, des crânes d'ours dont plusieurs auraient pu avoir été volontairement déplacés par les hommes, d'autres ossements d'animaux dont un crâne de bouquetin; des empreintes humaines, semble-t-il, et des traces de récupération de sédiments argileux, de rares silex débités et bien sûr des charbons (pin sylvestre selon une première détermination).

Des animaux et des signes

Les inventeurs évaluent à plus de 300 le nombre de représentations, sans doute bien davantage après étude. En tout cas, cette quantité s'inscrit dans celles de grands sites pariétaux (Niaux, environ 350 représentations, ou Lascaux un millier de peintures et gravures). Les signes paraissent nombreux : des tirets, des alignements de bâtonnets et des tracés linéaires rouges et noirs sont visibles dans les grands panneaux composés surtout d'animaux au trait noir; mais il existe aussi des signes élaborés, certains propres à Chauvet. Dans les panneaux de gravures, les tracés géométriques sont surtout linéaires, souvent moins structurés que les signes peints; les tracés digitaux, aux formes plus spontanés, s'y remarquent. Le rhinocéros est l'animal le plus figuré, au moins 47 individus, suivi par les 36 félins déjà repérés et en nombre équivalent les mammouths. Ces trois thèmes donnent à Chauvet une originalité symbolique radicale, amplifiée par la présence d'au moins une douzaine d'ours, peut-être une hyène et une panthère ou encore un hibou. Les autres animaux sont fréquemment présents dans les grottes : chevaux, bisons, rennes, aurochs, bouquetin, mégacéros et cerf.

Un art génial

Le bestiaire, un des plus variés connus, associe des figures au trait rouge et au trait noir, des peintures en dégradé, des tracés digitaux et des incisions plus ou moins larges. L'apparente hétérogénéité des animaux et des signes, la composition diversifiée des panneaux laissent ouvert l'éventail des origines chronoculturelles, jusqu'à des périodes plus récentes que celles datées. La géniale identité artistique de Chauvet repose sur la conjugaison de son ancienneté et de sa qualité esthétique; elle renforce l'insondable diversité de l'art pariétal paléolithique.

Denis Vialou

MUSÉOGRAPHIE

Principaux musées d'Europe

Allemagne

Blaubeuren ~ Musée de Préhistoire (7902 Blaubeuren). Dans le voisinage des grottes et abris de l'Ach.

Bonn ~ Rheinisches Landesmuseum (Colmanstrasse 14-16, Bonn 1). Musée et exposition en partie orientés autour de l'Homme de Néandertal.

Darmstadt ~ Hessisches Landesmuseum (Friedenplatz, 6100 Darmstadt). Le Paléolithique du nord de l'Allemagne et ses industries.

Hanovre ~ Niedersächsisches Landesmuseum (An der Marktkirche, 3000 Hanover 1). Paléolithique inférieur et moyen de l'Allemagne du Nord.

Mettmann ~ Neandertal Museum Diepensiepen II (40-20 Mettmann). Site éponyme de Néandertal.

Munich ~ Prähistorische Staatssammlung (Prinzregentenstrasse 3, 8 München 22). Un grand musée consacré à la Préhistoire régionale.

Neuwied ~ Musée de Monrepos (Schloss Monrepos, 5450 Neuwied 13).

Schleswig ~ Landesmuseum (Schloss Gottorf, 2380 Schleswig). Les industries et les vestiges des sites de chasseurs de l'extrême fin du Paléolithique.

Angleterre

Londres ~ British Museum (Bloomsbury Square, London). L'unique exposition sur le Paléolithique de la Grande-Bretagne, à compléter par la galerie du British Museum «Natural History», consacrée à l'évolution de l'Homme.

Autriche

Vienne ~ Musée d'Histoire naturelle de Vienne (Brugring, Wien). Une institution fort ancienne présentant un panorama de la Préhistoire autrichienne.

Belgique

Bruxelles ~ Musées royaux d'Art et d'Histoire. Les documents les plus importants relatifs à l'homme paléolithique dans les inventaires belges.

Bruxelles ~ Musée royal de l'Institut des sciences naturelles (29, rue Vautier, 1040 Bruxelles). Nombreuses collections provenant de divers sites belges.

Bosnie-Herzégovine

Sarajevo ~ Musée de Bosnie-Herzégovine (71000 Sarajevo). Musée consacré à la Préhistoire régionale et limitrophe.

Bulgarie

Plovdiv ~ Musée national bulgare (rue K.-Nektadev, I-Plovdiv). Le Paléolithique de Bulgarie réuni en un seul lieu.

Croatie

Zagreb ~ Musée des Sciences naturelles (41000 Zagreb). Le musée consacre des expositions à la Préhistoire des régions croates et limitrophes.

Danemark

Århus ~ Musée d'Archéologie (Moesgard, 8000 Århus). Un musée dans un parc aux recoins animés par des scènes préhistoriques.

Espagne

Gibraltar ~ Musée de Gibraltar. Exposition focalisée sur la Préhistoire et l'historique des recherches dans les sites de Gibraltar.

Madrid ~ Musée archéologique national de Madrid (Calle Serrano 13, 28001 Madrid). Présente de prestigieuses expositions sur la Préhistoire générale de la péninsule Ibérique.

Santillana del Mar ~ Centro de Investigaciones y Museo de Altamira (39330 Santillana del Mar). L'exposition d'Altamira est une invitation à la découverte de l'art pariétal, mais aussi de la Préhistoire de la côte nord de l'Espagne et plus précisément de la région cantabrique. C'est une étape préliminaire à la visite de tous les autres sites de la région vasco-catalano-asturienne.

Torralba ~ Museo de Excavaciones de Ambrona (Carretera Nacional de Madrid, Barcelona, Km 146, 2, Raman Al Aln. 0, 42230 Torralba). Petit musée consacré aux célèbres sites de plein

air organisés autour des carcasses d'éléphants.

Valence ~ Musée de Préhistoire de Valence (Calle Corona 36, 46003 Valencia). Tous les sites paléolithiques de la région, surtout le Paléolithique supérieur espagnol méditerranéen.

FRANCE

Bordeaux ~ Musée d'Aquitaine (18, cours Pasteur, 33000 Bordeaux). Une très belle exposition sur la Préhistoire régionale avec un chef-d'œuvre : la Vénus de Laussel, dite « Vénus à la corne ».

Les Eyzies-de-Tayac-Sireuil ~ Musée national de Préhistoire des Eyzies (24600 Les Eyzies-de-Tayac-Sireuil). La chronique des cultures préhistoriques du sud-ouest de la France – industries, art pariétal, mobiliers, habitats.

Les Eyzies-de-Tayac-Sireuil~ Musée de l'Abri Pataud (*idem*). Site autrefois fouillé au diaporama sur le rocher et musée dans un abri sous-roche. Un complément utile au Musée national.

Nemours ~ Musée de Préhistoire d'Ile-de-France (avenue de Stalingrad, 77140 Nemours). Habitats des sites de plein air du Paléolithique supérieur du Bassin parisien.

Orgnac-l'Aven ~ Musée interrégional de la Préhistoire (07150 Orgnac-l'Aven). Panorama extrêmement complet de toute la Préhistoire du peuplement de la région ardéchoise.

Paris ~ Musée de l'Homme (Palais de Chaillot, place du Trocadéro, 75016 Paris). Expositions thématiques et galerie sur l'évolution de l'homme au sein de la plus grande institution scientifique nationale.

Périgueux ~ Musée du Périgord (22, cours Tourny, 24000 Périgueux). Recèle des richesses insoupçonnées, notamment les sépultures de Chancelade (Homme moderne) et le Néandertalien de Régourdou.

Saint-Germain-en-Laye ~ Musée des Antiquités nationales (Château de Saint-Germain, 78100 Saint-Germain-en-Laye). Les documents les plus remarquables de la Préhistoire nationale dans la perspective des autres départements d'archéologie.

Solutré ~ Musée départemental de Préhistoire (Solutré, 71960 Pierre-Clos).

Tautavel ~ Musée de Préhistoire de Tautavel (66720 Tautavel). Le musée et le site sont entièrement consacrés à *Homo erectus*, son mode de vie, ses activités.

HONGRIE

Budapest ~ Musée national hongrois (Muzeum Krt. 14-16, 1088 Budapest). L'essentiel du Paléolithique hongrois, au sein d'une vaste exposition consacrée à la Préhistoire dans un cadre imposant.

ITALIE

Florence ~ Museo Fiorentino di Preistoria (Via S. Egidio 21, 50122 Firenze). Un panorama diachronique de la Préhistoire florentine à travers ses sites les plus prestigieux.

Rome ~ Museo Preistorico e Etnografica L. Pigorini (Piazza Marconi [EUR], 00144 Roma). Dans le cadre d'un vaste ensemble muséologique, les départements consacrés au Paléolithique concernent toute l'Italie.

MONACO

Monte-Carlo ~ Musée d'Anthropologie préhistorique (56 bis, boulevard du Jardin-Exotique, Monte-Carlo). Une institution célèbre qui abrite les témoignages les plus prestigieux du Paléolithique supérieur ligure : les sépultures de la région de Grimaldi.

NORVÈGE

Oslo ~ Musée national historique (Frederiksgate 2, Oslo). Consacré notamment, comme les autres musées scandinaves, à la Préhistoire récente des peuples nordiques. A noter cependant l'importance des collections relatives aux cultures de la Norvège et l'intérêt des séries ethnographiques des peuples arctiques, en particulier les peuples les plus septentrionaux de l'Europe (Groenland) et de la Sibérie (les Esquimaux).

POLOGNE

Cracovie ~ Musée archéologique et d'Histoire (Slavokowska 1815, 31-014 Kraków). Une large place est réservée à la Préhistoire des époques glaciaires, avec des documents de première importance.

PORTUGAL

Lisbonne ~ Musée national d'Archéologie (Praça do Imperio, 1400 Lisboa). Toute la Préhistoire de l'extrémité occidentale de l'Europe.

RÉPUBLIQUE TCHÈQUE

Brno ~ Musée morave – Pavillon Anthropos (Brno-Pisarky ; parc situé derrière la rivière, terminus du tram 1 à partir de la gare principale). Le pavillon Anthropos est axé sur la mise en valeur de la richesse du Paléolithique supérieur morave, Dolní Vestonice notamment.
Brno ~ Musée morave – Palais Dietrichstein (Zelny Trh 5-8, Brno). Panorama exhaustif des industries et des faunes du Paléolithique morave.
Prague ~ Musée national (Vaclavské namesti 68, Praha I). Synthèse générale de toute la Préhistoire des différents territoires de la République tchèque et de la Slovaquie.

ROUMANIE

Bucarest ~ Musée d'Histoire (Calea Victoria 12, Bucuresti). Le Paléolithique roumain dans toute sa richesse.

RUSSIE

Moscou ~ Musée d'Histoire (Place Rouge, Moskva). Une grande exposition sur les recherches dans les sites majeurs de l'ex-Union soviétique.
Saint-Pétersbourg ~ Musée de Zoologie de l'Académie des sciences (1, quai de l'Université, Saint-Pétersbourg). Sans doute l'exposition la plus importante sur les cultures et les modes de vie à travers les sites de toute la plaine russe.

SUÈDE

Stockholm ~ Nordiska Museet (Djugarden, Stockholm). Consacré, comme les autres musées scandinaves, à la Préhistoire récente.

SUISSE

Neuchâtel ~ Musée d'Archéologie cantonal (7, avenue Dupeyron, 2000 Neuchâtel). Présentation du Paléolithique du monde alpin.

UKRAINE

Kiev ~ Musée de l'Institut de zoologie de l'Académie des sciences (15, rue Lénine, Kiev-30). La galerie de Préhistoire, sa conception et son extraordinaire documentation sur les habitats de Transcarpatie et d'Ukraine (Meziric).
Lvov ~ Institut des Sciences sociales de l'Académie des sciences de l'Ukraine (24, rue Sovetskaya, Lvov). L'exposition est consacrée à quelques grands sites régionaux, dont Moldova.

Muséographie établie d'après
Les Hauts Lieux de la Préhistoire en Europe,
sous la direction de Jean-Philippe Rigaud
et Jean-Michel Geneste,
Bordas, 1993

GROTTES ORNÉES DU SUD-OUEST

ESPAGNE

Basondo ~ Grotte de Santimamiñe. Ensemble de peintures animalières d'âge magdalénien dans un site archéologique fréquenté depuis l'Aurignacien.

Medinacelli ~ Los Casares. Le plus important site d'art pariétal en dehors de l'aire cantabrique. Situé près du Musée paléontologique d'Ambrona.

Monte Castillo ~ Grotte du Castillo et Las Monedas. Seuls ces deux sites importants peuvent être visités au Monte Castillo, les autres étant fermés par mesure de conservation.

Primiango ~ Grotte du Pindal. On peut y admirer notamment le fameux éléphant peint sur une falaise surplombant la mer.

Ramales de la Vittoria ~ Grotte de Covalanas. Des scènes animalières étonnantes de spontanéité caractérisant l'art paléolithique cantabrique.

Ribadesella ~ Tito Bustillo. Des rennes polychromes presque grandeur nature, animaux exceptionnels dans l'art paléolithique de la région cantabrique.

Ronda ~ La Pileta. Un site d'art pariétal majeur dans un environnement montagneux spécifique du sud de l'Espagne.

Santillana del Mar ~ Grotte d'Altamira. Le site clé de tout l'art paléolithique cantabrique, souvent rapproché de Lascaux.

FRANCE

Bédeilhac-et-Aynat (Ariège) ~ Grotte de Bédeilhac. Site aux proportions gigantesques dont les vestiges d'ornementation pariétale sont variés : peinture, gravure, modelage.

Cabrerets (Lot) ~ Grotte de Pech-Merle. Toute la richesse de l'art paléolithique querquois à travers une composition remarquable.

Le Bugue (Dordogne) ~ Grotte de Bara-Bahau. Une cavité avec des gravures paléolithiques au style très original, voire insolite.

Les Eyzies-de-Tayac-Sireuil (Dordogne) – Grotte des Combarelles. Un long couloir entièrement recouvert de fines gravures superposées qu'il faut prendre le temps de déchiffrer.

– Grotte de Font-de-Gaume. L'un des grands sites de l'art pariétal.

– Abri du Poisson. Petit abri ne contenant plus qu'une gravure, mais quelle gravure !

Marquay (Dordogne) ~ Abri du Cap-Blanc. Sans nul doute la plus magistrale frise sculptée en grandeur nature du Paléolithique supérieur.

Mas-d'Azil (Ariège) ~ Grotte du Mas-d'Azil. Vaste complexe de sites de la fin du

Paléolithique, à ne pas dissocier du musée situé dans le village.

Meyrals (Dordogne) ~ Grotte de Bernifal. Belle promenade dans la vallée de la Beune à la découverte d'une remarquable cavité ornée où chaque recoin cache un mammouth gravé ou peint.

Montignac (Dordogne) ~ Lascaux II et le Thôt. Un fac-similé de la grotte de Lascaux dont la qualité est au-dessus de tout soupçon.

Niaux (Ariège) ~ Grotte de Niaux. Un des très hauts lieux de l'art paléolithique pyrénéen. Pour des raisons de conservation, le nombre des visiteurs est strictement limité à vingt par groupe et le nombre de groupes réduit.

Payrignac (Lot) ~ Grotte de Cougnac. Une cavité ornée aux confins du Lot et du Périgord, remarquable par la qualité de ses peintures.

Prignac-et-Marcamps (Gironde) ~ Grotte de Pair-non-Pair. Le plus pur témoignage de l'art aurignaco-périgordien sur la façade atlantique.

Rouffignac (Dordogne) ~ Grotte de Rouffignac. La «grotte aux Cent Mammouths» offre le spectacle de mises en scène pariétales exceptionnelles.

Saint-Martin-d'Arberoue (Pyrénées-Atlantiques) ~ Grotte d'Isturitz et grotte d'Oxocelhaya. Vaste gisement du Paléolithique supérieur dont une salle est ornée d'une frise sculptée composée de cervidés et de chevaux.

Sergeac (Dordogne) ~ Abri du Castelmerle. Dans un cadre splendide, ensemble de sites paléolithiques sous abri dont plusieurs ont livré des œuvres d'art mobilier majeures attribuées au début de l'art paléolithique.

Teyjat (Dordogne) ~ Grotte de la Mairie et Abri Mège. Remarquable pour le réalisme animalier de la gravure magdalénienne.

Valcabrère (Hautes-Pyrénées) ~ Grotte de Gargas. Site célèbre pour la fréquence de la représentation des mains négatives.

Villars (Dordogne) ~ Grotte de Villars. L'une des grottes du nord de la Dordogne que l'on aurait tort d'oublier.

PORTUGAL

Santiago do Escourial ~ Grotte d'Escoural. L'un des seuls témoignages d'art pariétal du Portugal, associé à un immense gisement.

Liste établie d'après
Les Hauts lieux de la Préhistoire en Europe,
sous la direction de Jean-Philippe Rigaud
et Jean-Michel Geneste, Bordas, 1993

GLOSSAIRE

Acheuléen ~ Culture du Paléolithique inférieur, définie à Saint-Acheul (Somme). Les outils confectionnés par *Homo erectus* sont principalement des bifaces et des hachereaux. Divisé en trois phases, l'Acheuléen se développa en Afrique entre plus d'un million d'années et 150 000 ans. En Europe, en Asie centrale et en Inde, il apparaît vers 700 000 et se fond dans le Moustérien vers 150 000 ans.

Angulaire ~ Type de signes rupestres et mobiliers en V, avec ou sans axe-bissectrice (flèche). Fréquent dans le Magdalénien et dans d'autres cultures préhistoriques.

Arborescent ~ Type de signes rupestres et mobiliers évoquant des formes végétales.

Aurignacien ~ Définie à Aurignac (Haute-Garonne), cette culture est la première d'*Homo sapiens sapiens* à se répandre en Europe, centrale et occidentale, au début du pléniglaciaire, entre 35 000 et 27 000 ans environ. Les outils sur lame et les outils en matières animales constituent des nouveautés, ainsi que l'art mobilier et l'art sur bloc.

Azilien ~ Culture de l'Europe occidentale, définie au Mas-d'Azil (Ariège), succédant au Magdalénien vers 10 000 ans BP (avant

le Présent). L'Azilien est marqué par les changements climatiques du postglaciaire à ses débuts. L'art est celui des galets peints ou gravés.

Baguette demi-ronde ~ Elément hémicylindrique allongé en bois de renne. Deux baguettes demi-rondes collées l'une sur l'autre pouvaient former un manche ou une hampe de sagaie. Magdalénien moyen occidental.

Bâton percé ~ Instrument en bois de renne, percé à la hauteur d'une ramification et souvent décoré. Il pourrait s'agir d'un redresseur de hampes. Il existe de l'Aurignacien au Magdalénien.

Biface ~ Outil ou arme, assez plat, entièrement taillé et retouché sur ses deux faces, caractéristique des industries de l'Acheuléen et de certains Moustériens.

Burin ~ Outil en pierre, généralement le silex, présentant un biseau court robuste apte à entailler ou rainurer les matières osseuses. Commun dans le Paléolithique supérieur.

Châtelperronien ~ Culture définie à Châtelperron (Allier). Œuvre de Néandertal, l'industrie lithique garde les traits moustériens de son origine mais intègre déjà des outils sur éclats propres au Paléolithique supérieur. La parure est attestée, pour la première fois, 38 000-32 000 ans BP environ.

Chevrons ~ Petits signes angulaires peints ou gravés en colonnes de deux à quelques unités. Fréquents dans de nombreux arts préhistoriques, rupestres et mobiliers.

Claviforme ~ Signe magdalénien pariétal, principalement des Pyrénées, «en forme de massue».

Crache ou **croche** ~ Canine de cervidé, utilisée comme élément de parure dès l'Aurignacien.

Damier ~ Signe quadrangulaire à cloisonnement géométrique interne, attesté dans certaines grottes magdaléniennes comme Lascaux.

Datation ~ Il existe plusieurs méthodes de datations absolues. La datation par le carbone contenu dans les charbons ou les os, le ^{14}C,

couvre le temps préhistorique de l'art, c'est-à-dire 40 000 ans environ. Les dates fournies sont données, avec une approximation calculée statistiquement, par rapport au début de l'ère (Before Christ = BC) ou par rapport au temps présent (Before Present = BP), l'année de référence étant 1950.

Empenné ~ Type de signes linéaires flanqués de barbelures, évoquant des plumes, présents dans divers arts rupestres préhistoriques.

Endopérigraphique ~ Caractérise la surface interne d'une représentation.

Epigravettien ~ Nom donné à la culture succédant, en Italie, au Gravettien tandis qu'en France et en Espagne se développaient le Solutréen et le Magdalénien.

Epipaléolithique ~ Se dit de la période et des cultures d'Europe qui ont immédiatement suivi la fin de la glaciation würmienne et se sont développées pendant deux à trois millénaires.

Flèche ~ La chasse à l'arc est fréquemment représentée dans les arts rupestres postglaciaires. Dans l'art paléolithique, le mot désigne les signes angulaires à longue bissectrice.

Feuille de laurier ~ Pointe solutréenne, losangique, plate, entièrement retouchée sur ses deux faces de façon régulière et précise. Arme pour la chasse.

Feuille de saule ~ Pointe solutréenne, losangique, allongée et plate, retouchée sur une de ses faces, de façon régulière et précise. Arme pour la chasse.

Galet aménagé ~ Galet de rivière, taillé de manière plus ou moins extensive pour obtenir des angles tranchants. Caractéristique des premiers outillages humains, préacheuléens, mais également présent dans des industries préhistoriques récentes.

Grattoir ~ Lame ou éclat lithique, plutôt épais, retouché à une de ses extrémités. Outil très courant dans le Paléolithique supérieur.

Gravettien ~ Culture du Paléolithique supérieur définie dans le gisement de La Gravette (Dordogne). L'industrie lithique est notamment caractérisée par la pointe de La Gravette, c'est-à-dire une lame étroite et allongée dont un bord a été transformé en dos par une retouche continue. 28 000-20 000 ans BP.

Harpon ~ Instrument de pêche ou de chasse, taillé en bois de renne, inventé par les Magdaléniens.

Holocène ou **Postglaciaire ~** Période géologique actuelle, qui succéda au Pléistocène, il y a 10 000 ans environ.

Hominidés ~ Famille de primates, originelle des Hommes et proche de la famille des Pongidés (chimpanzé, gorille et orang-outan). Au moins 5 millions d'années.

Hominisation ~ Evolution propre du phylum humain, intégrant les phénomènes culturels.

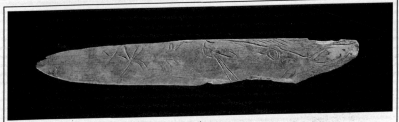

«Homo erectus» ~ Fossiles humains trouvés en Afrique, en Europe et en Asie entre 1,5 million et 300 000 ans.

«Homo habilis» ~ Fossiles humains les plus anciens, connus en Afrique orientale, auteurs des premières industries. 2,5 millions à 1 million d'années.

«Homo sapiens» ~ Fossiles humains connus depuis 100 000 ans au moins en Afrique et au Moyen-Orient, puis à partir de 40 000 ans dans le monde entier. *Sapiens neandertalensis* s'est individualisé, dans le Moyen-Orient et l'Europe, avant de disparaître entre 40 000 et 30 000 ans.

Hyoïde ~ Ce petit os du larynx, en particulier du cheval, a servi de support de prédilection pour les contours découpés des Magdaléniens.

Inlandsis ~ Calotte glaciaire qui coiffa le pôle arctique, le nord de l'Europe, de l'Asie, de l'Amérique et du Groenland pendant le Pléistocène, plus ou moins étendue selon les variations climatiques.

Levallois ~ Technique acheuléenne d'obtention d'éclats de lames et de pointes, définie à Levallois-Perret (Hauts-de-Seine), inventée par *Homo erectus*.

Limace ~ Type moustérien de racloir double convergent sur éclat épais.

Magdalénien ~ Culture paléolithique définie dans l'abri de La Madeleine (Dordogne). Etendue à toute l'Europe entre 18 000 et 10 000 ans BP, elle offre une grande diversité d'outils et d'armes en pierre, os. L'art mobilier et pariétal est d'une richesse exceptionnelle.

Méandres ~ Tracés curvilignes simples ou multiples faits avec les doigts sur des parois argileuses de grottes paléolithiques.

Merrain ou **perche** ~ Tronc principal d'une ramure de cervidé.

Mésolithique ~ Période transitoire entre l'Epipaléolithique et le Néolithique, réunissant plusieurs cultures.

Métapode ~ Os du pied de mammifères souvent transformé en outil (poinçon) et parfois orné par les Paléolithiques.

Microlithisme ~ Tendance à la diminution des dimensions et à la miniaturisation des outils lithiques marquée dans les cultures épipaléolithiques et mésolithiques.

Moustérien ~ Ensemble de cultures du Paléolithique moyen de l'Ancien Monde, d'abord défini au Moustier (Dordogne). Les outillages lithiques sont très diversifiés. Les sépultures témoignent du comportement métaphysique des *Homo sapiens* bien avant l'apparition des représentations graphiques.

Pléistocène ~ Epoque géologique la plus longue du Quaternaire, marquée par d'importants contrastes climatiques, en particulier les glaciations. 2 millions d'années environ-10 000 ans BP.

Pléniglaciaire ~ Phases de froid intense de la dernière glaciation, depuis 100 000 ans environ, pendant laquelle se développe *Homo sapiens sapiens* dans l'hémisphère Nord, en Eurasie notamment.

Point ~ Signe élémentaire peint, rarement gravé, se prêtant à de multiples combinaisons (alignements, nappes), universellement présent dans les abris et grottes préhistoriques.

Pointe à cran ~ Pointe en silex finement retouchée et fixée sur la hampe d'un projectile.

Arme de chasse et de pêche inventée par les Solutréens. 18 000 ans environ BP.

Primates ~ Ordre de mammifères rassemblant les diverses familles de singes, les Hominidés et les Hommes.

Propulseur ~ Instrument taillé en bois de renne par les Magdaléniens, il y a 15 000 ans environ, également connu dans d'autres civilisations, chez les Inuits et les Aborigènes par exemple. Sert de levier à la projection d'armes de chasse.

Quadrangulaire ou **quadrilatère** ~ Structure géométrique non figurative, avec ou sans remplissage ou appendice linéaire, peinte ou gravée dans des grottes magdaléniennes.

Quaternaire ~ Ere géologique actuelle, la plus courte, subdivisée en deux époques, le Pléistocène et l'Holocène. Marquée par l'avènement du rameau humain.

Racloir ~ Outil des Néolithiques moyen et supérieur, très courant, caractérisé par un bord épais, retouché par des enlèvements écailleux, apte à racler des peaux, bois, os.

Ramifié ~ Type de signes linéaires branchus paléolithiques, assez semblables aux signes barbelés.

Sagaie ~ Pointe en bois de renne ou en os, de formes variées, faisant partie des armes des chasseurs du Paléolithique supérieur.

Solutréen ~ Culture du Paléolithique supérieur en France et en Espagne. Les pointes foliacées en silex sont remarquables. L'art sculpté sur bloc est original. 21 000-17 000 ans BP.

Spatule ~ Outil paléolithique plat en os dont le contour fut parfois découpé, par les Magdaléniens, en forme de poisson.

Tiret ~ Signe élémentaire, peint ou gravé, se prêtant à de multiples combinaisons (alignements, séquences) universellement présent sur des objets, dans des abris et des grottes.

Würm ~ Dernière glaciation quaternaire en Europe, marquée par une alternance de phases froides et de phases tempérées, entrecoupées d'oscillations courtes à effets régionaux. Elle a pris fin vers 10 000 ans BP.

Glossaire établi d'après
La Préhistoire,
Denis Vialou, Gallimard, 1991

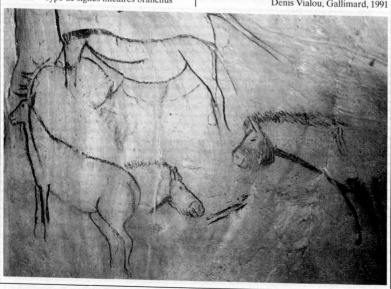

BIBLIOGRAPHIE

Art mobilier, pariétal, rupestre, généralités sur la Préhistoire

ABRAMOVA Z., *L'Art paléolithique d'Europe orientale et de Sibérie*, Jérôme Millon, Grenoble, 1995, 367 p., fig.

ANATI E., *Les Racines de la culture*, Ed. du Centro Camuno di Studi preistorici, Capo di Ponte, Italie, 1995, 220 p., fig.

BERENGUER M., *Prehistoric Cave Art in Northern Spain, Asturias*, Frente de Afirmacion Hispanista AC, Mexico,

COURAUD C., *L'Art azilien. Origine – Survivance*, XXe suppl. à *Gallia Préhistoire*, Editions du CNRS, Paris, 1985, 184 p., fig.

DELLUC B. et G., *L'Art pariétal archaïque en Aquitaine*, XXVIIIe suppl. à *Gallia Préhistoire*, Editions du CNRS, Paris, 1991, 393 p., fig.

DELPORTE H., *L'Image des animaux dans l'art préhistorique*, Picard, Paris, 1990, 254 p., fig.

D'ERRICO F., *L'Art gravé azilien*, XXXIe suppl. à *Gallia Préhistoire*, Editions du CNRS, Paris, 1994, 329 p., fig.

KNECHT H., PIKE-TAY, WHITE R. (éd.), *Before Lascaux. The Complex Record of the Early Upper Palaeolithic*, CRC Press, Boca Raton, 1993, 304 p., fig.

KOZLOWSKI J. K., *L'Art de la préhistoire en Europe orientale*, Editions du CNRS, Paris, 1992, 223 p., fig.

LEROI-GOURHAN A., DELLUC B. et G., *Préhistoire de l'art occidental*, Citadelles et Mazenod, Paris, 1995 (première édition 1965-1972), 616 p., fig.

LEWIS-WILLIAMS,
– *Images of Power : Understanding Bushman Rock Art*, Southern Book Publishers, Johannesburg, 1989, 196 p., fig.
– *Discovering Southern African Rock Art*, Editions David Philip, Le Cap et Johannesburg, 1990, 102 p., fig.

LORBLANCHET M., *Les Grottes ornées de la Préhistoire. Nouveaux regards*, Errance, Paris, 1995, 288 p.

ROUSSOT A., *L'Art préhistorique*, Editions Sud-Ouest, Bordeaux, 1993, 127 p., fig.

SIEVEKING A., *A catalogue of Palaeolithic Art in the British Museum*, British Museum Publications, Londres, 1987, 115 p., 131 pl.

TABORIN Y., «La Parure en coquillage au Paléolithique», XXIXe suppl. à *Gallia Préhistoire*, Editions du CNRS, Paris, 1993, 538 p., fig.

VIALOU D.,
– «L'art des grottes en Ariège magdalénienne», XXIIe suppl. à *Gallia Préhistoire*, Ed. du CNRS, Paris, 1986, 432 p., fig.
– *L'Art des cavernes. Les sanctuaires de la Préhistoire*, Editions du Rocher, Monaco, 1987, 117 p., fig.
– *La Préhistoire*, «L'Univers des formes», Gallimard, Paris, 1991, 431 p., fig.
– *Frühzeit des Menschen*, C. H. Beck Verlag, Munich, 1992, 436 p., fig.
– *La Prehistoria*, Rizzoli, Milan, 1992, 433 p., fig.

Art des cavernes. Atlas des grottes ornées paléolithiques françaises, ministère de la Culture, Imprimerie nationale, Paris, 1984, 673 p., fig.

L'Art pariétal paléolithique, Groupe de réflexion sur l'art pariétal paléolithique, Editions du CTHS, Paris, 1993, 427 p., fig.

Préhistoire générale, typologie, différents sites

BORDES F., *Le Paléolithique dans le monde*, Hachette, Paris, 1968, 256 p., fig.

BOSINSKI G., *Homo sapiens*, Errance, Paris, 1990, 281 p., fig.

CABRERA-VALDES V. (éd.), «El origen del hombre moderno en el Suroeste de Europa», Actes du colloque de Madrid, 1991, Universidad nacional de educacion a distancia, Madrid, 1993, 442 p., fig.

DESBROSSE R. et KOZLOWSKI J. K., *Hommes et climats à l'âge du mammouth. Le Paléolithique supérieur d'Eurasie centrale*, Masson, Paris, 1988, 144 p., fig.

DESPRIEE J. et DUVIALARD J., *Préhistoire en région Centre* – t. II, *Les Hommes modernes*, CDDP Loir-et-Cher, DRAC Centre, ministère de la Culture, Blois, 1995, 169 p.

GARANGER J. (éd.), *La Préhistoire dans le monde*, «Nouvelle Clio», PUF, Paris, 1992, 837 p., fig.

GAUSSEN J., *Le Paléolithique supérieur de plein air en Périgord*, XIVe suppl. à *Gallia*

Préhistoire, Editions du CNRS, Paris, 1980, 300 p., fig.

GUILAINE J. (éd.), *La Préhistoire d'un continent à l'autre*, Larousse, Paris, 1989, 288 p., fig.

LAVALLEE D., *Promesse d'Amérique. La Préhistoire de l'Amérique du Sud*, Hachette, Paris, 1995, 270 p., fig.

LEROI-GOURHAN A.,
– *Pincevent, campement magdalénien de chasseurs de rennes*, «Guides archéologiques de la France», ministère de la Culture, Imprimerie nationale, Paris, 1984, 91 p., fig.

LEROI-GOURHAN A. (éd.), *Dictionnaire de la Préhistoire*, PUF, Paris, 1988 (deuxième édition 1994), 1222 p., fig.

LOUBOUTIN C., *Au Néolithique, les premiers paysans du monde*, «Découvertes Gallimard», Paris, 1990, 176 p., fig.

MOHEN J.-P. (éd.), *Le Temps de la préhistoire*, Archeologia, Dijon, 1989, 2 vol., 520 et 262 p., fig.

MOURE ROMANILLO A., «Prehistoria», *in* A. MOURE-ROMANILLO, J. SANTOS YANGUAS, J. M. ROLDAN (éd.), *Prehistoria e Historia antigua*, Historia 16, Madrid, 1991, pp. 17-101, fig.

OTTE M. (éd.), «La Signification culturelle des industries lithiques», Actes du colloque de Liège, 1984, *BAR*, Intern. Series n° 239, Oxford, 1985, 430 p., fig.

SOFFER O. (éd.), *The Pleistocene Old World, Regional Perspectives*, Plenum Press, New York, 1987, 380 p., fig.

STOCZKOWSKI W., *Anthropologie naïve. Anthropologie savante*, Editions du CNRS, Paris, 1994, 246 p., fig.

Archéologie de la France. 30 ans de découvertes, Editions de la RMN, Paris, 1989, 495 p., fig.

La Vie préhistorique, éd. par la Société préhistorique française, Editions Faton, Dijon, 1996, 543 p., fig.

«Le Magdalénien en Europe, la structuration du Magdalénien», Actes du colloque de Mayence, 1987, *ERAUL* n° 38, Liège, 1989, 479 p., fig.

Paléoanthropologie

COPPENS Y., *Pré-ambules. Les premiers pas de l'homme*, Odile Jacob, Paris, 1988.

HUBLIN J.-J., *Les Hommes préhistoriques*, Hachette, Paris, 1995, 96 p., fig.

HUBLIN J.-J. et TILLIER A.-M. (éd.),

Aux origines d'Homo sapiens, PUF, Paris, 1991, 404 p., fig.

PIVETEAU J., *La Main et l'hominisation*, Masson, Paris, 1991, 114 p., fig.

SABAN R., «Aux sources du langage articulé», Masson, Paris, 1993.

THOMAS H., *L'Homme avant l'homme. Le scénario des origines*, «Découvertes Gallimard», Paris, 1994, 160 p., fig.

Vie quotidienne, environnement, métaphysique

BEAUNE S. de, *Les Hommes au temps de Lascaux, 40 000-10 000 avant J.-C.*, Hachette, Paris, 1995, 316 p., fig.

CLEYET-MERLE J.-J., *La Préhistoire de la pêche*, Errance, Paris, 1990.

DELLUC B. et G. et ROQUES M., *La Nutrition préhistorique*, Pilote 24, Périgueux, 1995, 223 p., fig.

GUERIN C. et PATOU-MATHIS M. (éd.), *Les Grands Mammifères plio-pléistocènes d'Europe*, Masson, Paris, 1996, 291 p., fig.

LEROI-GOURHAN A.,
– *Les Religions de la préhistoire*, PUF, Paris, 1964, 159 p., fig.
– *Les Chasseurs de la préhistoire*, A.-M. Métailié, Paris, 1983, 156 p., fig.

MAY F., *Les Sépultures préhistoriques*, Editions du CNRS, Paris, 1986, 264 p., fig.

MOHEN J.-P., *Les Rites de l'au-delà*, Odile Jacob, Paris, 1995.

PERLES C., *Préhistoire du feu*, Masson, Paris, 1977, 182 p., fig.

RENAULT-MISKOVSKY J, *L'Environnement au temps de la préhistoire*, Masson, Paris, 183 p., fig.

WHITE R.,
– *Dark Caves, Bright Visions. Life in Ice Age Europe*, The American Museum of Natural History, W. W. Norton and Company, New York, 1986, 176 p., fig.
– *Préhistoire*, Editions Sud-Ouest, Bordeaux, 1993, 142 p., fig.

TABLE DES ILLUSTRATIONS

INDEX

CRÉDITS PHOTOGRAPHIQUES

Altitude 36. Archives Casterman/J.-M. Labat 28h. Archives Gallimard 153, 154, 158. R. de Balbin Behrmann 90-91. Robert Begouën 96, 132. Bibliothèque nationale, Paris 114. Centre de recherche archéologique de Pincevent 21, 124. CNRS/Pierre Bodu 19. Cosmos, Paris/B. & C. Alexander 29, 37. Cosmos, Paris/Pierre Boulat 53. Dagli Orti, Paris 72db, 72g. Diaf, Paris/Jean-Daniel Sudres 58. Diatheo, Paris 15. D R 30, 49d, 60, 110, 111, 118. Eurelios, Paris/J. Clottes 138. Eurelios, Paris/Ph. Plailly 103. Eurelios, Paris/O. Teixeira 98. Explorer, Paris/M. Cambazard 147. Explorer, Paris/J.-P. Ferrero Couverture (quatrième, gauche), 30-31. Explorer, Paris/Ferrero-Labat 102. Explorer, Paris/C. Michel 105dh, 105m. Gallimard/A. et D. Vialou 40h, 63, 70, 70-71, 73b, 83, 110-111. Gallimard/A. de V. Vialou 74, 75hd, 75b. Gamma, Paris/J. Clottes 67. Gamma, Paris/H. Cosquer 134, 137. H. Hinz Couverture (premier plat), 1-9, 94b, 100. Hoa Qui, Paris/D. Reperant. Institut für Urgeschichte, Tübingen 42, 42-43, 44. M. Lorblanchet 51, 59, 95b. Magnum, Paris/E. Lessing 64, 65, 66g, 66d. Ministère de la Culture/Eurelios, Paris/Jean Clottes 84. Ministère de la Culture/Gamma, Paris/Jean Clottes 89h. Musée de l'Homme, Paris 28b, 86, 141. Musée de l'Homme, Paris/M. Delaplanche 62g. Musée de l'Homme, Paris/B. Hatala 17b, 19b, 52, 78g, 79. Musée de l'Homme, Paris/J. Oster 14, 25. Musée de l'Homme, Paris/J. Oster/D. Destable 78d. Musée du Solutré 35. Musée national de la Préhistoire, Les Eyzies-de-Tayac 17h, 88-89, 95h. Musée National de la Préhistoire, les Eyzies/J. Gaussen 48b. Musée archéologique, château de Monrepos, Neuwied 21b, 50. National Geographic 44-45. B. de Quiros 12, 56-57. Rapho, Paris 104, 105g, 113. Rapho, Paris/J. Dieuzaide 108, 109. Réunion des Musées nationaux, Paris Couverture (dos), 13, 26, 27bm, 27d, 27hg, 27hm, 32, 32-33, 48-49, 49g, 54h, 60-61, 61, 62d, 68-69, 76, 76-77, 77, 80, 81, 87, 144, 145, 146, 149. Roger-Viollet, Paris 117, 126-127, 128, 129, 133. Alain Roussot Couverture (quatrième, droite), 47h. S.P.L. Cosmos, Paris/John Reader 40m. Y. Taborin 122. Gilles Tosello 22-23. B. Vandermeersch 44g, 68, 116. Tom Van Sant/Geosphere Project, Santa Monica/Science Photo Library/Cosmos, Paris. 38-39 Vialou A. et D. 18, 34-35, 39, 54b, 56h, 84-85, 85, 88, 89b, 91, 92, 92-93, 93h, 94h, 97, 98-99, 99b, 99h, 101b, 101h, 105b, 106, 112, 130, 151, 157.

ÉDITION ET FABRICATION

DÉCOUVERTES GALLIMARD
DIRECTION : Pierre Marchand et Elisabeth de Farcy.
GRAPHISME : Alain Gouessant.
FABRICATION : Violaine Grare.
PROMOTION & PRESSE : Valérie Tolstoï.
DIRECTION DE LA RÉDACTION Paule du Bouchet.
COORDINATION GÉNÉRALE Frédéric Morvan

AU CŒUR DE LA PRÉHISTOIRE, ARTISTES ET CHASSEURS
EDITION : Jeanne Hély.
MAQUETTE : Vincent Lever (Corpus), Dominique Guillaumin (Témoignages et Documents) .
ICONOGRAPHIE : Katerina D'Agostino.
LECTURE-CORRECTION : Pierre Granet et Jocelyne Marziou.
PHOTOGRAVURE : Arc-en-ciel.